図解

所得税法

超 入門 ［令和6年度 改正］

税理士法人 山田＆パートナーズ 監修

山口 暁弘 編著

税務経理協会

は し が き

　所得税は，一番身近な税金であるとともに，一番複雑に感じる税金でもあります。所得税は，基本的には各種所得を10種類に分類し，それぞれの所得を計算し，それらを合算して，そこから各種所得控除を控除し，その控除後の課税所得金額に税率を乗じて税額を求め，そこから各種税額控除を控除して納税額を求めます。しかし，政策的な配慮で，他の所得とは合算せずに，その所得のみで税額を計算するものなどがあり，複雑に感じます。また譲渡所得などはいろいろな特例が設けられており，知らなかったがために損をすることがあります。

　このような所得税について，できるだけわかりやすく，税の専門家ではない方でも理解できるよう心がけて本書を書きました。

　まず本書の第1章では，「所得税の基本事項」について記載し，所得税の概要等について説明しています。

　第2章では，「収入と経費」について記載し，収入および経費の原則と特例について説明しています。

　第3章では，「10種類の所得」について記載し，各種所得の計算の仕方等について説明しています。

　第4章では，「所得の金額の総合と損益通算，損失の繰越控除」について記載し，各種所得金額の合算の仕方や損益通算の仕方等について説明しています。

　第5章では，「所得控除」について記載し，各種所得控除の計算の仕方等について説明しています。

　第6章では，「所得税額の計算と税額控除」について記載し，税額の算出方法について説明しています。

　第7章では，「確定申告と納税」について記載し，申告および納税方法につい

て説明しています。

　第8章では,「源泉徴収と年末調整」について記載し,サラリーマン（給与所得者）の年末調整制度等について説明しています。

　そして,第9章では,「青色申告」について記載し,青色申告の特典等について説明しています。

　所得税はボリュームが多く,複雑に感じるのですが,一つ一つの計算はさして難しいものではありませんので,本書を参考に学んでいただければ,一通りはマスターできると思います。

　本書の出版にあたりましては,税務経理協会の皆様には大変お世話になり,また多くの励ましをいただき実現することができました。誠に有難うございました。

　本書が多くの方々に活用され,お役に立ちますよう心からお祈り申し上げます。

　　令和6年7月

　　　　　　　　　　　　　　　　　税理士法人　山田＆パートナーズ

　　　　　　　　　　　　　　　　　税理士　山口　暁弘

目　　次

第3章　10種類の所得

4

第4章　所得の金額の総合と損益通算，損失の繰越控除

第5章　所　得　控　除

第6章　所得税額の計算と税額控除

第7章　確定申告と納税

第8章　源泉徴収と年末調整

第9章　青色申告

『第1章』

所得税の基本事項

第1節　概　　要

所得税とは，個人のもうけに対して課される税金です。

図で表すと次のようになります。

また，所得税の特徴として，以下のものがあげられます。

1．個人単位課税

日本の所得税は，1人1人の所得に対して課される税金です。つまり夫婦や家族の所得を合算して課されるものではなく，夫の所得には夫の所得税がかかり，妻の所得には妻の所得税がかかります。

2．暦年単位課税

所得税は，個人の1年間（1月1日から12月31日まで）の所得に対して課税されます。つまり1暦年を計算単位とします。

3．「課税所得」に対して課される税金

所得税は個人の課税所得に対して課される税金です。

所得税は，個人の1年間の収入金額から必要経費を差し引き「所得」を求め，さらに「所得」から「所得控除」を差し引いた残額（「課税所得」という）に対して課税されます。

4．所得を分類

個人が1年間に得た所得は，その所得の発生原因によって税金を負担する能力が異なると考えられるため，所得を10種類に分け，それぞれの所得について所得金額の計算方法が規定されています。また，所得の種類によっては，税額計算も別に定められています。

5．総合課税と分離課税

所得税は，個人が1年間に得た所得を10種類に分類し，それぞれの所得金額を求めた後，それらのすべての所得を合計し，この合計額に対して超過累進税率により課税する「総合課税」が原則です。

しかし，例外的に，他の所得とは合算しないで個別に税額計算を行う「分離課税」があります。

6．超過累進税率

所得税は，所得の低い部分には低い税率が，所得の高い部分には高い税率が適用される超過累進税率により課税されます。

7．申告納税制度

所得税は，納税者が自ら申告し納税する，申告納税制度を採用しています。したがって，1人1人が確定申告を行わなければなりません。

ただし，所得税がかからない場合や，給与所得者のように年末調整で所得税の精算が終わっている場合などにおいては，確定申告が不要となるケースもあります。

第2節　納税義務者

納税義務者とは，所得税を納めなければならない者のことをいいます。

納税義務者の区分

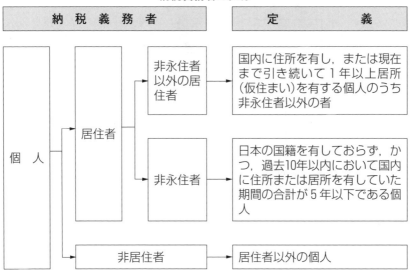

納　税　義　務　者			定　　　　義
個　人	居住者	非永住者以外の居住者	国内に住所を有し，または現在まで引き続いて1年以上居所（仮住まい）を有する個人のうち非永住者以外の者
		非永住者	日本の国籍を有しておらず，かつ，過去10年以内において国内に住所または居所を有していた期間の合計が5年以下である個人
	非居住者		居住者以外の個人

　また，所得税は，納税義務者の区分によって税金の対象となる所得の範囲が異なります。

　①　非永住者以外の居住者……すべての所得

　②　非永住者……国内で生じた所得すべてと国外で生じた所得のうち一定のもの

　③　非居住者……国内で生じた所得のみ

納税義務者の判定フローチャート

日本に住所があるか

引き続き1年以上居所を
有しているか

日本国籍を有しているか

過去10年間のうち通算で
5年超，日本に住所また
は居所を有しているか

| 非永住者以外の居住者 | 非永住者 | 非居住者 |

→ YES

┈┈► NO

第3節　納　税　地

　納税地とは，納税者が申告，申請または納付などをする場所をいいます。

　国内に住所を有する場合には原則としてその住所地が納税地となり，確定申告の際はその住所地の所轄税務署に申告を行うことになります。

　原則的な納税地の判定は，次の図の上から順に行っていきます。

判　定　基　準		場　　　所
(1)	国内に住所がある場合	その住所地
(2)	国内に住所がなく，居所がある場合	その居所地
(3) (1)および(2)以外の場合	① 国内に恒久的施設(事務所，事業所など)を有する非居住者の場合	恒久的施設の所在地
	② 国内に住所または居所があった者が住所および居所を有しないこととなった場合において，国内に恒久的施設を有さず，かつ，その前の納税地にその者の親族等が居住しているとき	その前に納税地とされていた場所
	③ ①，②以外で国内にある不動産等を貸し付け，対価を受ける場合	その資産の所在地
	④ その他の場合	その者の選択した場所等一定の場所

1．納税地の異動または変更

　納税地の異動がある（または変更を行う）場合は，異動後（または変更後）の納税地を所得税の申告書に記載することで手続が完了します。ただし，国税当局からの各種文書の送付先の変更等のため，年の途中で納税地の異動または変更をする意思があるときは，「所得税・消費税の納税地の異動又は変更に関する申出書」を提出することができます。

２．死亡した納税義務者の所得税の納税地

納税義務者が死亡した場合には，その者の相続人が死亡した者に代わって，所得税の申告をしなければなりません。

その場合の納税地は，相続人の納税地ではなく，死亡した者の死亡直前の納税地となります。

３．納税地の指定

上記の納税地が，納税義務者の所得が発生している場所から見て不適当であると認められる場合には，所轄国税局長または国税庁長官が納税地を指定することがあります。

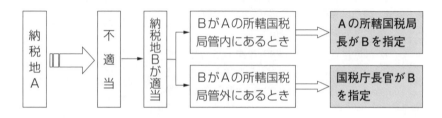

例えば，Aを納税地としているにもかかわらず，Bでほとんどの所得が発生している場合には，Bを納税地として指定されることがあります。

第4節　非課税所得

　所得のすべてが税金の対象となるわけではなく，その所得の性質，税金を負担する能力，常識的に課税することが適当でないものについては，所得税は課税されません。

　非課税所得には，次のようなものがあります。

① **宝くじの当選金品**

　　競馬の馬券は課税されます。

② **通　勤　手　当**

　　1か月あたり15万円を超える部分は課税されます。

③ **店舗などの資産に受けた損害により支払いを受ける保険金**

　　棚卸資産の場合には，課税されます。これは，棚卸資産を売って代金を受領することと実質的に同じであるからです。

④ **慰　謝　料**

　　例えば，交通事故で慰謝料をもらった場合，所得税はかかりません。

⑤ **相続または個人からの贈与による所得**

　　法人からの贈与による所得については，贈与税がかからないため，所得税がかかります。

⑥ **遺族年金，遺族恩給等**

　　通常の年金には，所得税がかかります。

⑦ **生活用動産（家具・衣服等）を売却した場合の所得**

　　1個あたり30万円を超える宝石，骨とう品等を売却した場合には課税されます。

⑧ **国，地方公共団体等に対して財産を寄附した場合**

　　法人に対して財産を寄附した場合には，時価で譲渡したものとみなして，課税されます。

⑨ **障害者等の少額預金の利子等（マル優）**

　　非課税貯蓄申込書等の提出が必要であり，非課税限度額(350万円)を超える部分の利子については課税されます。

⑩　障害者等の少額公債の利子（特別マル優）

　　特別非課税貯蓄申込書等の提出が必要であり，非課税限度額(350万円)を超える部分の利子については課税されます。

⑪　勤労者財産形成住宅貯蓄の利子

　　財産形成非課税住宅貯蓄申込書等の提出が必要であり，下記の勤労者財産形成年金貯蓄と併せて非課税限度額(550万円)を超える部分の利子については課税されます。

⑫　勤労者財産形成年金貯蓄の利子

　　財産形成非課税年金貯蓄申込書等の提出が必要であり，上記の勤労者財産形成住宅貯蓄と併せて非課税限度額(550万円)を超える部分の利子については課税されます。

第5節　所得税の計算の仕組み

所得税の計算フローチャート

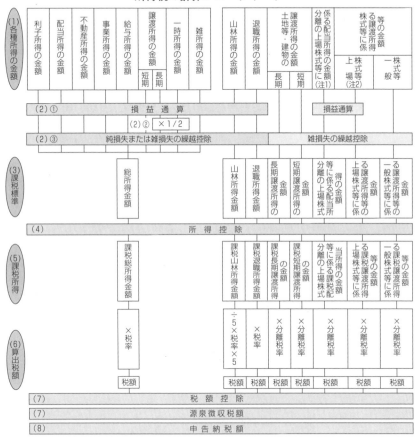

（注1）　平成28年分以後は，特定公社債等の利子所得も含まれます。

（注2）　平成28年分以後は，特定公社債等の譲渡所得も含まれます。

(1)　各種所得の金額の計算

　1年間の所得を10種類に分類し，それぞれの所得について「所得金額」を算出します。

(2)　損益通算・損失の繰越控除

①　損　益　通　算

　　赤字の所得と黒字の所得がある場合，一定の赤字の所得については，黒字の所得と相殺します。

②　総合課税の長期譲渡所得と一時所得

　　その後，総合課税される長期譲渡所得と一時所得については，所得金額を2分の1にします。

③　損失の繰越控除

　　今年に繰り越された「前年以前3年内の赤字」がある場合には，今年の黒字の所得から控除します。

(3)　課　税　標　準

　(2)が終わった後の金額を課税標準といいます。

　ここで総合課税するものと分離課税するものとに区別します。なお，総合課税の所得を合計したものを「総所得金額」といいます。

(4)　所　得　控　除

　扶養控除などの所得控除額を求めます。

(5)　課　税　所　得

　「総所得金額」から「所得控除額」を差し引き「課税総所得金額」を求めます。

　なお，「総所得金額」から「所得控除額」を引ききれない場合には，「分離課税される所得金額」から差し引きます。

　ここで求めた金額が税率を乗ずる金額，つまり課税の対象となる金額です。

(6)　算　出　税　額

　「課税総所得金額」「課税退職所得金額」「課税山林所得金額」については，超過累進税率を用いて税額を求めます。

その他の課税所得については，それぞれ定められた税率を用いて税額を求めます。

(7) 税額控除

住宅借入金等特別税額控除などを控除します。

(8) 定額減税

令和6年分の所得税について，納税者本人および同一生計配偶者を含む扶養親族1人につき，所得税3万円（住民税1万円）を控除します。

なお，定額減税の適用を受けることができる人は，所得税の納税者である居住者で，合計所得金額が1,805万円以下である人に限ります。

(9) 申告納税額

算出税額から税額控除・定額減税額・源泉徴収税額を差し引いたものが納付すべき税額となります。

＜令和6年分の具体的所得税の計算例＞

＜所得税の計算＞

(1) **各種所得の金額**

給与所得の金額　3,060,000円（源泉徴収税額138,000円）

一時所得の金額　1,000,000円

土地の譲渡所得の金額（短期）　12,000,000円

住宅借入金等特別税額控除額　100,000円

(2)① **損益通算**

なし

② **総合課税の長期譲渡所得と一時所得**

一時所得の金額　$1,000,000円 \times \dfrac{1}{2} = 500,000円$

③ **損失の繰越控除**

なし

(3) **課税標準**

総所得金額　給与所得の金額3,060,000円＋一時所得の金額500,000円

＝3,560,000円

短期譲渡所得の金額　12,000,000円

(4) **所 得 控 除**

基礎控除　480,000円

(5) **課 税 所 得**

課税総所得金額　総所得金額3,560,000円−所得控除480,000円＝
3,080,000円

課税短期譲渡所得金額　12,000,000円

(6) **算 出 税 額**

課税総所得金額　3,080,000円×10％−97,500円＝210,500円

課税短期譲渡所得金額　12,000,000円×30％＝3,600,000円

　計　3,810,500円

(7) **税 額 控 除 等**

住宅借入金等特別税額控除　100,000円

定額減税額　30,000円

源泉徴収税額　138,000円

　計　268,000円

(8) **申告納税額**

3,810,500円−268,000円＝3,542,500円

(**注**)　平成25年から令和19年までの各年分については，上記のほか，基準所
得税額に2.1％の税率を乗じて計算した復興特別所得税が課されます。

＜復興特別所得税の計算＞

　　　　　　　　　　　　　　　　　　　　定額減税額
3,810,500円　−　100,000円　−　30,000円　＝　3,680,500円

3,680,500円　×　2.1％　＝　77,290円

＜納める税金＞

3,542,500円　＋　77,290円　＝　3,619,700円（百円未満切捨て）

『第2章』

収 入 と 経 費

第1節　収入の原則

1．収 入 金 額

　所得税は，1月から12月までの1年間に得た収入金額を基に計算します。収入金額は，原則として「その年において収入すべきことが確定した金額」をいいます。すなわち，実際にお金を受け取っていなくても，お金をもらえることが確定すれば，そのもらえることが確定した日に収入金額として計上しなければなりません。この収入金額の計算基準を「発生主義」（権利確定主義）といいます。

　また，収入金額を計算するうえで，その収入を得るための行為が適法であるかどうかを問いません。ですから，原則として違法な賭け事により得たお金も収入金額に含まれ，課税の対象となります。

2．収入すべき金額

　収入すべき金額とは，以下の要件を満たさなければなりません。

① 　お金をもらう権利が確定していること

② 　お金をもらうべき事実が発生していること

③ 　もらうべきお金の金額が確定していること

14

<**不動産賃貸業の例**>

① 不動産賃貸を行っている場合には，通常賃貸契約により，家賃を受け取る権利が確定します。

② 賃貸人が賃借人に実際に不動産を賃貸しているということが，お金をもらうべき事実の発生に該当します。

③ 賃貸契約書などにより，家賃の金額が定められていますので，もらうべきお金の金額が確定しているといえます。

3．計上時期

収入に計上する時期は，以下のとおりです。

(1) 商品の販売

商品を引き渡した日

(2) 物の引渡しを伴う請負

その目的物の全部を完成して相手に引き渡した日

(3) 役務の請負

約束した役務の提供を完了した日

(4) 資産の貸付け

契約等により支払日が定められている場合には，その定められた支払日

収入金額のまとめ

収入金額	収入すべきことの確定した金額	適法なもの
		違法なもの

⇧ 三要件

権利の確定
事実の発生
金額の確定

第2節 収入の特例

1．現金主義

(1) 現金主義の意義

　現金主義とは，実際に現金の支出があったときに費用を計上し，現金の収入があったときに収益を計上する考え方です。収入金額の計算基準の原則は「発生主義」ですが，一定の要件を満たす納税者は，納税地の所轄税務署長に対して届出をすることによって，特例として「現金主義」を採用することができます。

(2) 現金主義のメリット

① 事務の簡素化

　　実際に現金を受け取ったときに収入を計上しますので，収入の計上時期が非常にわかりやすく，事務負担の軽減を図ることができます。

② 納税資金の確保

　　収入金額の計算基準の原則である「発生主義」では，実際に現金を受け取っていなくとも，売上が確定すれば収入金額として計上しなければなりません。したがって，手許に現金がないにもかかわらず，所得税が発生し納付義務を負う可能性もありますが，「現金主義」であればこのような事態は避けることができます。

(3) 現金主義を採用することができる方

　現金主義はあくまで特例ですから，採用するためには，以下に定める一定の要件が必要です。

① 前々年分の不動産所得と事業所得の合計額（青色専従者給与の金額を控除する前）が300万円以下であること（「青色専従者給与」については第9章参照）

② 「所得税の青色申告承認申請書」をその適用を受けようとする年の3月15日まで（その年の1月16日以後，新たに事業を開始，または不動産の貸付けをした場合には，その業務開始等の日から2月以内）に提出していること（青色申告

については，第9章参照）

③ 「現金主義による所得計算の特例を受けることの届出書」を提出していること（期限は②と同様）

(注) ②③については，「所得税の青色申告承認申請書（兼）現金主義の所得計算による旨の届出書」を提出することにより一枚の届出書で行うことができます。

＜具体例＞

　令和6年12月に100万円で販売した商品の代金回収は令和7年1月というケース（取引はこの売上のみとし，経費は考慮しない）

発生主義

　　販売した時点（令和6年12月）で「売掛債権」が発生しているので，販売した時点で売上計上の記帳をします。また，代金回収したときは「売掛債権」が消滅した，という記帳をします。

現金主義

　　代金回収する令和7年1月まで帳簿には何も記帳しません。

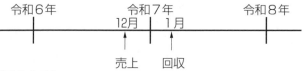

【発生主義】

令和6年分所得：100万円	令和7年分所得：　　0円

【現金主義】

令和6年分所得：　　0円	令和7年分所得：100万円

２．自家消費等

　実際にお金をもらわなくても，収入金額として計上しなければならないケースがあります。

(1) 自家消費

　小売業等の事業を営んでいる方が，販売用の商品を自分で使ってしまった場

合のことをいいます。

(2)　贈与・低額譲渡

　小売業等の事業を営んでいる方が，販売用の商品を人にあげてしまった場合または非常に安い金額で譲渡した場合のことをいいます。

　このように(1)自家消費，(2)贈与・低額譲渡を行った場合には，実際にお金を受け取っていなくても，原則としてその資産の販売価額を収入金額に計上しなければなりません。

　ただし，事業者が下記の金額以上で帳簿に収入金額を計上しているときは，その経理処理を認めることとされています。

> ### 次のうちいずれか高い金額
> ①　小売価格の70％相当額
> ②　仕 入 価 格

　　(注)　非常に安い金額で譲渡した場合は，次の金額

　　　　　小売価格の70％相当額－受け取った対価の額

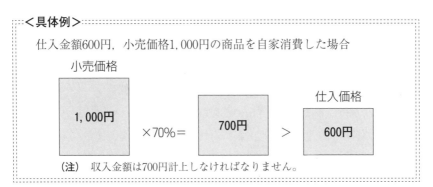

＜具体例＞

　仕入金額600円，小売価格1,000円の商品を自家消費した場合

小売価格　1,000円　×70％＝　700円　＞　仕入価格　600円

　　(注)　収入金額は700円計上しなければなりません。

(3)　売上の代金を物で受け取った場合

　売上の代金は最終的に現金で受け取るのが普通ですが，時には売上の代金を物で受け取る場合も考えられます。

このような場合でも，下記の金額を収入金額として計上しなければなりません。

> **受け取った物の時価**

(注) ここでいう「時価」とは，一般的な市場価格を指します。

3．無償または低額による譲受け・借受け等

売上代金を受け取った場合以外にも，経済的利益を受けるケースが多々あります。主なケースは以下のとおりです。それぞれ下記の金額を収入金額として計上しなければなりません。

(1) 物品等の資産の無償または低い金額での譲受け

無　　　償	その資産の時価
低額譲受け	その資産の時価－払った対価の額

ただし，事業上特約店などの販売業者がメーカーから製品の広告宣伝用資産を無償または低額で譲り受けるケースでは，時価を基準に収入金額を計上するのではなく，下記のように取り扱ってもよいこととされています。

① 看板・ネオンサイン等

これらの資産は，特に贈与を受けた側に経済的利益をもたらす物ではないため，収入金額は０円となります。

② メーカー名や商品名の入った自動車・陳列棚等

これらの資産は，広告宣伝のための資産ではありますが，通常の資産としての利用価値もあるため，経済的利益を受けたと考えます。

したがって，「メーカー購入価格の３分の２相当額」を時価として収入金額を計算します。

ただし，「メーカー購入価格の３分の２相当額」が30万円以下であれば収入金額として計上する必要はありません。

＜具体例＞

メーカー名入り車（時価150万円）を50万円で取得した場合

$$150万円 \times \frac{2}{3} - 50万円 = 50万円$$

（注）　50万円を収入金額に計上しなければなりません。

⑵　土地・家屋等の資産の無償または低い金額での借受け

無　　　償	通常支払うべき対価の額
低額借受け	通常支払うべき対価の額－払った対価の額

　事業主が使用人等住宅を貸し付けている場合，「通常の賃貸料」を受け取っていれば，特に課税は発生しません。

⑶　金銭の無利息または低利息借受け

無　利　息	通常利率による利息の額
低　利　息	通常利率による利息の額－払った利息の額

　役員または使用人が災害や病気等により多額の生活資金を必要とするような場合，無利息貸付けや低利息貸付けを受けていても，一定の要件を満たせば課税をしなくてもよいとされています。

⑷　その他無償または低額で役務を提供してもらった場合

無　　　償	通常支払うべき対価の額
低　　　額	通常支払うべき対価の額－払った対価の額

⑸　債務を免除してもらった場合

債　務　免　除	債務免除額
他人による肩代わり	他人が負担した金額

ただし，債務者が金銭的に窮地に陥り，債務を弁済することが著しく困難と認められる場合には，一定金額まで収入金額に計上しなくてよいこととされています。

4．保険金等

(1) 保険金等

事業に関係する保険金や損害賠償金等を受け取った場合には，収入金額として計上しなければなりません。

具体的には，下記の収入があげられます。

保険金等を受け取る原因	種　　類
1　商　　　品 2　著　作　権 3　その他山林・工業所有権等の権利について損失を受けたことにより受け取るもの	保　険　金 損害賠償金 見　舞　金　等
営業の休止や廃止等により，その営業の収益の補償として受け取るもの	休業補償金 転換補償金 廃業補償金　等

ただし，事故などにより心身に損害を受けて休業した場合に，その間の所得に代えて受け取る損害賠償金や補償金，見舞金などは非課税となります。

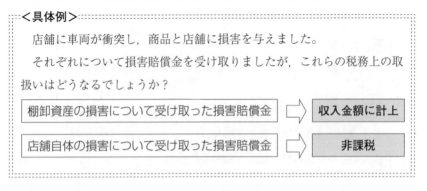

⑵　国庫補助金等

　事業者が国等から国庫補助金等を受け取り，交付される目的に適合した固定資産の取得または改良を行った場合に，その国庫補助金等の返還をしなくてよいことが，その年の12月31日までに確定した場合には，その国庫補助金等のうちその固定資産の取得等のために使った金額は，収入金額に計上しなくてよいこととされています。

①　固定資産の取得等に使った金額が国庫補助金等の金額より小さい場合 （返還不要が確定しているものとする）

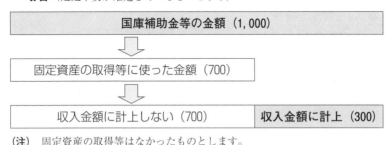

（注）　固定資産の取得等はなかったものとします。

②　固定資産の取得等に使った金額が国庫補助金等の金額より大きい場合 （返還不要が確定しているものとする）

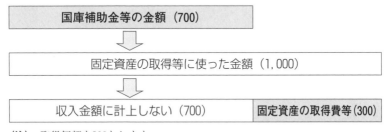

（注）　取得価額を300とします。

③　国庫補助金等の交付の代わりに固定資産の交付を受けた場合

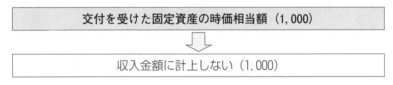

第3節　必要経費の原則

1．必要経費の計算

必要経費は，下記のように区分されます。

収入金額に対応する必要経費	①売上原価 ②総収入金額を得るために直接要した費用の額
期間対応の必要経費	①その年に債務の確定した販売費および一般管理費 ②その他の業務上の費用の額

　所得税は，1月から12月までの1年間を基に計算します。必要経費の金額は，原則として「その年において支払うべき債務の確定した金額」をいいます。すなわち，その年にお金を支払っていなくても，お金を支払わなければならないことが確定すれば，その債務が確定した日に必要経費として計上することになります。この必要経費の計算基準を「債務確定主義」といいます。

　債務の確定とは，以下の要件を満たすことをいいます。

①　債務が成立していること

②　お金を支払わなければならない事実が発生していること

③　支払わなければならないお金の金額が確定していること

2．売上原価

　その年に販売した商品または製品の原価 (仕入れ値) を売上原価といいます。売上原価は，下記の算式により計算します。

年の初めの棚卸高	＋	年中の仕入高	－	年の終りの棚卸高	＝	売上原価

　上記算式からわかるように，売上原価を計算するためには，年の終り時点における商品の棚卸高を把握しなければなりません。この在庫を調査することを「棚卸」といいます。

　通常，仕入帳などの帳簿を見るだけでなく，年末に実際に現物を目で見て行います。これを実地棚卸といいます。

＜棚卸方法の具体例（棚卸資産の評価方法）＞

① **原　価　法**

　原価法とは，棚卸資産の取得価額で評価する方法です。さらに6種類の評価方法に分類されます。

　どの評価方法を選択することも可能ですが，税務署長へ「棚卸資産の評価方法の届出書」を提出しなければなりません。届出をしないときは，「最終仕入原価法」を採用することとなります。

　（注）　**最終仕入原価法**
　　　年末に最も近い時期に仕入れた商品の仕入単価に年末の棚卸高をかけて計算する方法です。

② **低　価　法**

　低価法とは，上記①の原価法により評価した金額と期末時価とのいずれか低い価額を期末棚卸高として評価する方法です。

　低価法は，青色申告書を提出している事業者だけが選択できる評価方法です（青色申告については，第9章参照）。

第4節 経費の特例

1. 減価償却費

⑴ 減価償却の意義

　減価償却とは，減価償却資産（事業用の建物，機械，車両等）の購入代金を購入時に，一度に必要経費にするのではなく，耐用年数に応じて配分して必要経費にすることをいいます。

　耐用年数とは，減価償却資産の一般的に使用可能な期間（その資産の効果の及ぶ期間）をいい，税法上各種資産について，省令で定められています。

<具体例>

　令和6年1月1日に，車両（取得価額1,000万円，耐用年数4年）を取得し，定額法により減価償却，5年目に除却したケース（各年の収入は2,000万円とする）

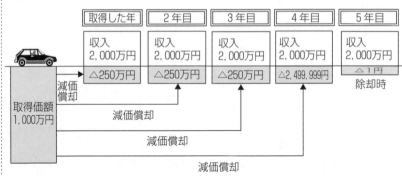

取得した年	2年目	3年目	4年目	5年目
収入 2,000万円	収入 2,000万円	収入 2,000万円	収入 2,000万円	収入 2,000万円
△250万円	△250万円	△250万円	△2,499,999円	△1円 除却時

取得価額 1,000万円

減価償却
減価償却
減価償却
減価償却

　取得時の必要経費にするのではなく，耐用年数に応じ，各期間に配分します。

⑵ 減価償却費の計算方法

　主な減価償却費の計算方法として，定額法および定率法があります。

　定額法とは，減価償却資産が毎年同程度消耗（減価）すると考え，毎年均等額を減価償却費として計上する方法です。

　定率法とは，減価償却資産は使い始めた初期ほど，多く消耗（減価）すると考え，年月が経つにつれ，減価償却費を少なく計上する方法です。

　償却方法を税務署に届け出ることにより，納税者が選択することができますが，平成10年4月1日以降に取得した建物については，定額法しか選択することができません。

　なお，平成19年度税制改正により減価償却制度は大きく改正され，平成19年3月31日以前に取得した資産については「旧定額法」「旧定率法」等により減価償却し，平成19年4月1日以降に取得した資産については「定額法」「定率法」等により減価償却することとなります。

　平成23年度税制改正により，平成24年4月1日以降に取得する減価償却資産の定率法の償却率は，定額法の償却率を2.0倍（平成19年4月1日以降平成24年3月31日以前に取得した場合は2.5倍）した割合とされました。

（注1）　定率法を採用している者が，平成24年4月1日から同年12月31日までの間に減価償却資産の取得をした場合には，改正前の償却率による定率法により償却することができる経過措置が講じられていました。

（注2）　平成24年3月31日以前に取得をした「定率法を採用している減価償却資産」について，平成24年分の確定申告期限までに届出をすることにより，その償却率を改正後の償却率により償却費の計算等を行うことができる経過措置が講じられていました。

①　平成19年3月31日以前に取得した減価償却資産

㈠　旧定額法

　　（注）　有形減価償却資産の残存価額は，原則として取得価額の10％，無形減価償却資産の残存価額はゼロです。

㈡　旧定率法

(ハ)　償却可能限度額

　　　有形減価償却資産の償却限度額は「取得価額の95％」でしたが，平成19年度税制改正により，平成19年3月31日以前に取得した有形減価償却資産についても，全額（備忘価額1円を除く）減価償却できることとなりました。

　　　減価償却費の累計額が「取得価額の95％」に達する年までは，旧定額法・旧定率法により減価償却を行い，減価償却費の累計額が「取得価額の95％」に達した年の翌年以後5年間で均等償却することになります。

＜具体例＞

　平成19年1月1日に，車両（取得価額1,000万円，耐用年数4年）を取得し，旧定額法により減価償却，令和6年に除却したケース

【各年の減価償却費の額】

〔平成19年～22年〕　　（1,000万円－100万円）×0.25＝225万円

〔平成23年〕　　　　　（1,000万円－100万円）×0.25＝225万円

　　　　　　　　　　　ただし，取得価額の5％（1,000万円×5％）に達するまでの金額となるため50万円

〔平成24～27年〕　　｛1,000万円－（1,000万円×95％＋1円）｝÷5

　　　　　　　　　　　＝99,999円

〔平成28年〕　　　　　厳密には，99,999円が償却費となるが，実務上，備忘価額1円を残した100,003円が償却費となる

〔平成29年～令和5年〕償却費なし（平成28年の償却費を100,003円とした場合）

〔令和6年〕　　　　　　1円（除却損）

② 平成19年4月1日以降に取得した減価償却資産

㈤ 定 額 法

㈬ 定 率 法

ただし，上記算式により算出した「減価償却費」が「償却保証額」に満たない場合には，

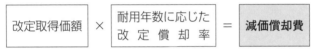

(注) 平成19年4月1日以降平成24年3月31日以前に取得した資産については定額法の償却率の2.5倍，平成24年4月1日以降に取得した資産については定額法の償却率の2.0倍となります。

<参 考>

平成19年度税制改正により，平成19年4月1日以降に取得した減価償却資産は，備忘価額1円を除いて，全額減価償却できることとなりました。

しかし，定率法を採用した場合，定率法のまま償却を続けても，耐用年数経過時に残存価額がゼロになりません。ですから，耐用年数経過時に償却を完了させるためには，途中で償却方法を変更する必要があり，「定率法により計算した償却費」が「一定の金額」を下回ることとなった場合には，償却方法を定率法から定額法「改定取得価額（年初の未償却残高）×耐用年数に応じた改定償却率」に切り替えて，残存価額1円まで償却を行います。

なお，「一定の金額」とは，資産の年初の未償却残高を残存耐用年数で除した金額をいい，実務上は，事務負担を軽くするため，取得価額に耐用年数に応じた「保証率」を乗じて計算できます。この算出した金額を「償却保証額」といいます。

┌┈┈┈┈┈┈┈┈┈┈┈┈┈┈┈┈┈┈┈┈┈┈┈┈┈┈┈┈┈┈┈┈┈┈┈┈┈┈┈┐

＜具体例＞

　令和 6 年 1 月 1 日に，減価償却資産(取得価額1,000万円，耐用年数10年，定率法償却率0.200，改定償却率0.250，保証率0.06552) を取得し，定率法により減価償却，令和16年に除却したケース

【各年の減価償却費の額】

〔令和 6 年〕　1,000万円×0.2＝2,000,000円

〔令和 7 年〕　(1,000万円－2,000,000円)×0.2＝1,600,000円

〔令和 8 年〕　(1,000万円－3,600,000円)×0.2＝1,280,000円

〔令和 9 年〕　(1,000万円－4,880,000円)×0.2＝1,024,000円

〔令和10年〕　(1,000万円－5,904,000円)×0.2＝819,200円

〔令和11年〕　(1,000万円－6,723,200円)×0.2＝655,360円

〔令和12年〕　(1,000万円－7,378,560円)×0.2＝524,288円となり，

　　　　　　　償却保証額(1,000万円×0.06552＝655,200円)に満たないため，

　　　　　　　改定取得価額 (1,000万円－7,378,560円) ×改定償却率0.250

　　　　　　　＝655,360円

〔令和13年〕　改定取得価額2,621,440円×改定償却率0.250＝655,360円

〔令和14年〕　改定取得価額2,621,440円×改定償却率0.250＝655,360円

〔令和15年〕　改定取得価額2,621,440円×改定償却率0.250＝655,360円

　　　　　　　ただし，備忘価額 1 円を残す必要があるため，

　　　　　　　(1,000万円－ 1 円)－償却累計額9,344,640円＝655,359円

〔令和16年〕　1 円（除却損）

└┈┈┈┈┈┈┈┈┈┈┈┈┈┈┈┈┈┈┈┈┈┈┈┈┈┈┈┈┈┈┈┈┈┈┈┈┈┈┈┘

③　平成28年 4 月 1 日以降に取得した減価償却資産

　平成28年 4 月 1 日以降に取得する建物附属設備および構築物（鉱業用のこれらの資産を除く）の償却方法は，定額法のみとなります。

　鉱業用減価償却資産（建物，建物附属設備および構築物に限る）の償却方法は，定額法または生産高比例法となります。

⑶ 少額減価償却資産（10万円未満）および一括償却資産（20万円未満）

取得価額の小さい資産は，以下の制度が設けられています。

① 取得価額が10万円未満の減価償却資産については，消耗品費として，購入した年の必要経費に算入します。

② 取得価額が10万円以上20万円未満の減価償却資産については，同じ年に購入したものの全部または一部を一括して3年間にわたり3分の1ずつ必要経費に算入することができます。

③ 青色申告書を提出する従業員1,000人以下の事業者が，令和6年3月31日までに取得した30万円未満の資産については，一定の要件のもと，購入した年の必要経費に算入することができます。ただし，この特例による必要経費算入額は，各年300万円が限度となります。

償 却 方 法	取 得 価 額			
	10万円未満	10万円以上 20万円未満	20万円以上 30万円未満	30万円以上
通常の減価償却資産として償却	×	○（選択可能）	○（選択可能）	○
3年間で均等償却を行う	×	○（選択可能）	×（選択できない）	×
全額必要経費算入	○（強制）	×（青色申告者は○）	×（青色申告者は○）	×

2．繰 延 資 産

⑴ 意　　　義

繰延資産とは，事業のために支出した費用で，その支出の効果が支出の日以後1年以上に及ぶものをいいます。

繰延資産は，その支出の効果の及ぶ期間にわたり，毎年均等額の償却を行い，必要経費として計上します。

⑵ 償却費の計算方法

$$\boxed{繰延資産の支出額} \div \boxed{償却期間} = \boxed{償却費}$$

⑶ 少額繰延資産

支出金額が20万円未満である繰延資産については，その支出をした年にその全額を必要経費に算入します。

主な繰延資産とその償却期間等

区　分	内　容	償却期間等 （1年未満端数切捨）
開　業　費	事業を開始するまでの間，開業準備のために特別に支出した費用	5年 （ただし，任意の金額で償却することもできる）
開　発　費	支店の設置や市場開拓，新事業開始のために，特別に支出した費用	
試験研究費	新製品の製造または新技術の発明を目的とした試験研究のために特別に支出した費用	
公共的施設の設置・改良のための負担金(注1)	負担をした人がもっぱら使用するケース	施設の耐用年数の70%(注2)
	上記以外のケース（一般の人も利用する道路等）	施設の耐用年数の40%(注2)
共同的施設の設置・改良のための負担金(注3)	負担をした人がもっぱら使用するケース	施設の耐用年数の70%（土地取得の場合は45年）
	商店街のアーケード・日よけ・アーチ・すずらん燈等	5年（耐用年数が5年未満の場合，その耐用年数）
建物を賃借するために支出する権利金等	建物の新築に伴って支払う権利金で，その建物の建築費用の大部分を占めるものであり，かつ，建物が存続する限り賃借できる場合	建物の耐用年数の70%
	上記以外のケースで契約または慣習によって賃借権として転売できるもの	その建物の賃借後の見積残存耐用年数の70%
	その他のケース	5年（賃借契約が5年未満で，更新時に

		再度権利金の支払いを要する場合，その賃借期間）
電子計算機等の賃借に伴って支出する費用	パソコン・サーバー等	その機器の耐用年数の70％（上記年数が賃借期間を超えるときは，その賃借期間の年数）
ノーハウ等を利用するために払った頭金等		5年
広告宣伝用資産を贈与するためにかかった費用		資産の耐用年数の70％（上記年数が5年を超えるときは，5年）
同業者団体等の加入金	社交団体および出資的性格のものを除く	5年
プロ野球選手等の契約金等		その契約期間

（注1） 事業所等に接した道路を設置・舗装する場合等
（注2） 道路用地を国または地方自治体に提供した場合，耐用年数は15年とします。
（注3） 共同で使用する施設（アーケード等）を設置する場合等

3．リース取引

⑴　リース取引の意義

　資産の賃貸借契約にはさまざまな形式があります。単なる貸付け（いわゆるレンタル）ではなく，その取引の実態が売買または金銭の貸付けに近い取引を税務上「リース取引」といいます。

　リース取引に該当するか否かは，次のとおり判定します。

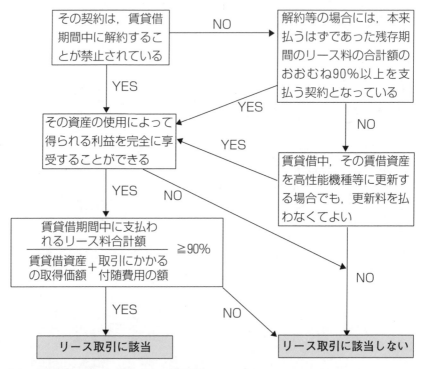

⑵　売買とみなされるリース取引

①　平成20年３月31日以前に契約を締結するリース取引

　次の(イ)〜(ヘ)のリース取引に該当する場合等には，資産の売買があったものとして取り扱います。

　(イ)　リース期間終了時または途中において，リース資産を無償または極端に安い対価で賃借人に譲渡することとなっている契約

(ロ) リース期間終了時または途中において，賃借人に極端に安い価額で買い取る権利が与えられている契約

(ハ) リース期間終了後，無償に近い形で再リースできる契約

(ニ) リース資産の種類，設置されている状況等からその資産の使用可能期間中，賃借人にのみ使用されると見込まれるもの（特殊性が強く他人に転用できない資産の場合）

(ホ) リース期間がリース資産の耐用年数に比べて大きな差異があり，それによって税金面において著しく有利になる場合

（注1） リース期間が耐用年数より非常に短い場合

　　イ．耐用年数が10年未満の資産

　　耐用年数×70%（1年未満切捨て）＞リース期間

　　ロ．耐用年数が10年以上の資産

　　耐用年数×60%（1年未満切捨て）＞リース期間

（注2） リース期間が耐用年数より非常に長い場合

　　耐用年数×120%（1年未満切捨て）＞リース期間＋再リース期間

(ヘ) その他税金面において著しく弊害があると認められるもの

② 平成20年4月1日以降に契約を締結するリース取引

税務上のリース取引に該当する取引については，次の(3)に掲げる金銭の貸付けがあったとみなされるリース取引を除き，すべて資産の売買があったものとして取り扱います。

資産計上したリース資産は，リース期間で均等償却を行う「リース期間定額法」により減価償却を行います。

なお，リース期間定額法は次の算式により計算します。

$$\left(\begin{array}{l}\text{リース資産の}\\\text{取得価額}\end{array} - \text{残価保証額}\right) \times \dfrac{\text{その年における}\\\text{リース期間の月数}}{\text{リース期間の総月数}} = \boxed{\text{減価償却費}}$$

⑶　金銭の貸付けがあったとみなされるリース取引

　下記のいずれにも該当する取引は，取引の実態を重視して，金銭の貸付けがあったものとみなします。

①　資産を買う側から売る側に対する賃貸を条件に資産の売買を行っていること

②　取引全体の実態が金銭の貸借であると認められること

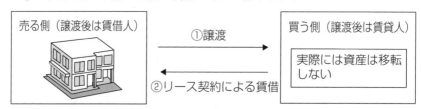

　　　　税務上の取扱い
　　　　①　譲渡代金は借入金とする。
　　　　②　リース料は借入金の返済および利息等の支払いとする。

耐用年数表

種　類	構造・用途	細　目	耐用年数(年)	種　類	構造・用途	細　目	耐用年数(年)
建　　物	鉄筋コンクリート造	事務所用	50	車　　両	乗用車	自動車	6
		住宅用	47		貨物自動車	自動車	4〜5
		店舗用	39	工　　具	型,鍛圧等		2または3
		工場または倉庫用	21〜38	器具備品	家具等	事務机・キャビネット	8または15
	木　　造	事務所用	24			陳列ケース	6または8
		店舗用・住宅用	22			エアコン	6
建物附属設備	冷暖房通風ボイラー設備	冷暖房設備	13または15		事務機器	パーソナルコンピュータ	4
	可動間仕切り	簡　　易	3			コピー	5
		その他	15			ファクシミリ	5
構築物	舗装道路・路面	コンクリート	15	特許権			8
		アスファルト	10	実用新案権			5
	コンクリートブロック造	へ　　い	15	商標権			10

減価償却率表

耐用年数	H19.3.31以前取得		H19.4.1以降 H24.3.31以前取得			
	旧定額法	旧定率法	定額法	定率法	改定償却率	保証率
2年	0.500	0.684	0.500	1.000	—	—
3	0.333	0.536	0.334	0.833	1.000	0.02789
4	0.250	0.438	0.250	0.625	1.000	0.05274
5	0.200	0.369	0.200	0.500	1.000	0.06249
6	0.166	0.319	0.167	0.417	0.500	0.05776
7	0.142	0.280	0.143	0.357	0.500	0.05496
8	0.125	0.250	0.125	0.313	0.334	0.05111
9	0.111	0.226	0.112	0.278	0.334	0.04731
10	0.100	0.206	0.100	0.250	0.334	0.04448
11	0.090	0.189	0.091	0.227	0.250	0.04123
12	0.083	0.175	0.084	0.208	0.250	0.03870
13	0.076	0.162	0.077	0.192	0.200	0.03633
14	0.071	0.152	0.072	0.179	0.200	0.03389
15	0.066	0.142	0.067	0.167	0.200	0.03217
16	0.062	0.134	0.063	0.156	0.167	0.03063
17	0.058	0.127	0.059	0.147	0.167	0.02905
18	0.055	0.120	0.056	0.139	0.143	0.02757
19	0.052	0.114	0.053	0.132	0.143	0.02616
20	0.050	0.109	0.050	0.125	0.143	0.02517
21	0.048	0.104	0.048	0.119	0.125	0.02408
22	0.046	0.099	0.046	0.114	0.125	0.02296
23	0.044	0.095	0.044	0.109	0.112	0.02226
24	0.042	0.092	0.042	0.104	0.112	0.02157
25	0.040	0.088	0.040	0.100	0.112	0.02058
26	0.039	0.085	0.039	0.096	0.100	0.01989
27	0.037	0.082	0.038	0.093	0.100	0.01902
28	0.036	0.079	0.036	0.089	0.091	0.01866
29	0.035	0.076	0.035	0.086	0.091	0.01803
30	0.034	0.074	0.034	0.083	0.084	0.01766
31	0.033	0.072	0.033	0.081	0.084	0.01688
32	0.032	0.069	0.032	0.078	0.084	0.01655
33	0.031	0.067	0.031	0.076	0.077	0.01585
34	0.030	0.066	0.030	0.074	0.077	0.01532
35	0.029	0.064	0.029	0.071	0.072	0.01532
36	0.028	0.062	0.028	0.069	0.072	0.01494
37	0.027	0.060	0.028	0.068	0.072	0.01425
38	0.027	0.059	0.027	0.066	0.067	0.01393
39	0.026	0.057	0.026	0.064	0.067	0.01370
40	0.025	0.056	0.025	0.063	0.067	0.01317
41	0.025	0.055	0.025	0.061	0.063	0.01306
42	0.024	0.053	0.024	0.060	0.063	0.01261
43	0.024	0.052	0.024	0.058	0.059	0.01248

44	0.023	0.051	0.023	0.057	0.059	0.01210
45	0.023	0.050	0.023	0.056	0.059	0.01175
46	0.022	0.049	0.022	0.054	0.056	0.01175
47	0.022	0.048	0.022	0.053	0.056	0.01153
48	0.021	0.047	0.021	0.052	0.053	0.01126
49	0.021	0.046	0.021	0.051	0.053	0.01102
50	0.020	0.045	0.020	0.050	0.053	0.01072

耐用年数	H24.4.1以降取得			
	定額法	定率法	改定償却率	保証率
2年	0.500	1.000	—	—
3	0.334	0.667	1.000	0.11089
4	0.250	0.500	1.000	0.12499
5	0.200	0.400	0.500	0.10800
6	0.167	0.333	0.334	0.09911
7	0.143	0.286	0.334	0.08680
8	0.125	0.250	0.334	0.07909
9	0.112	0.222	0.250	0.07126
10	0.100	0.200	0.250	0.06552
11	0.091	0.182	0.200	0.05992
12	0.084	0.167	0.200	0.05566
13	0.077	0.154	0.167	0.05180
14	0.072	0.143	0.167	0.04854
15	0.067	0.133	0.143	0.04565
16	0.063	0.125	0.143	0.04294
17	0.059	0.118	0.125	0.04038
18	0.056	0.111	0.112	0.03884
19	0.053	0.105	0.112	0.03693
20	0.050	0.100	0.112	0.03486
21	0.048	0.095	0.100	0.03335
22	0.046	0.091	0.100	0.03182
23	0.044	0.087	0.091	0.03052
24	0.042	0.083	0.084	0.02969
25	0.040	0.080	0.084	0.02841
26	0.039	0.077	0.084	0.02716
27	0.038	0.074	0.077	0.02624
28	0.036	0.071	0.072	0.02568
29	0.035	0.069	0.072	0.02463
30	0.034	0.067	0.072	0.02366
31	0.033	0.065	0.067	0.02286
32	0.032	0.063	0.067	0.02216
33	0.031	0.061	0.063	0.02161
34	0.030	0.059	0.063	0.02097
35	0.029	0.057	0.059	0.02051
36	0.028	0.056	0.059	0.01974

37	0.028	0.054	0.056	0.01950
38	0.027	0.053	0.056	0.01882
39	0.026	0.051	0.053	0.01860
40	0.025	0.050	0.053	0.01791
41	0.025	0.049	0.050	0.01741
42	0.024	0.048	0.050	0.01694
43	0.024	0.047	0.048	0.01664
44	0.023	0.045	0.046	0.01664
45	0.023	0.044	0.046	0.01634
46	0.022	0.043	0.044	0.01601
47	0.022	0.043	0.044	0.01532
48	0.021	0.042	0.044	0.01499
49	0.021	0.041	0.042	0.01475
50	0.020	0.040	0.042	0.01440

4．租 税 公 課

(1) 意　　義

　租税公課とは，事業に関係して支払う税金やさまざまな賦課金のことです。租税公課は，必要経費に算入できるものとできないものに区分されます。

(2) 区　　分

①　事業に関係して支払う租税公課で必要経費になるもの

㈡　固定資産税

　固定資産税は，毎年賦課期日（1月1日）に土地・家屋・償却資産を所有している人が，その固定資産の所在する市町村に納める税金です。税額はそれらの固定資産の価格を基に算定されます。土地・家屋・償却資産を総称して固定資産といいます。

㈡　事 業 税

　個人の方が営む事業のうち，特に法律で決められた事業（法定業種）に対してかかる税金です（3％～5％）。

$$\left(\boxed{\begin{array}{c}事 業 所 得\\または(および)\\不 動 産 所 得\end{array}} + \boxed{\begin{array}{c}所 得 税 の\\事 業 専 従 者\\給与(控除)額\end{array}} - \boxed{\begin{array}{c}個人事業税の\\事 業 専 従 者\\給与(控除)額\end{array}} + \boxed{\begin{array}{c}青色申告\\特別控除\\額\end{array}}\right.$$

$$\left.\begin{array}{|c|}\hline 損失の繰越 \\ 等の控除の \\ 金額 \\\hline\end{array} - \begin{array}{|c|}\hline 事業主 \\ 控除額 \\\hline\end{array}\right) \times \begin{array}{|c|}\hline 税\quad 率 \\\hline\end{array} = \begin{array}{|c|}\hline 税\quad 額 \\\hline\end{array}$$

(ハ) 登録免許税

　登録免許税は不動産，船舶，会社，人の資格などについての登記や登録，特許，免許，許可，認可，認定，指定および技能証明について課税されます。身近な例としては，不動産を取得したときに登録免許税を支払う必要があります。

(二) 不動産取得税

　不動産取得税とは，土地や家屋を購入したり，家屋を建築するなどして不動産を取得したときにかかる税金です。有償・無償の別を問いません。

(ホ) 印　紙　税

　印紙税の納税義務は，課税される文書等を作成したときに成立し，その文書を作成した者に納税の義務があります。したがって，課税される文書を受け取った側には印紙税を納める義務はありません。

(ヘ) 事業所得者等の確定申告税額の延納に係る利子税

　延納とは，納付期限までに一括納付できないときに，納める税額の2分の1以上納付すれば，残額を5月末日までに納付すればよいという制度です。この間，利息相当分として利子税が課せられます。

(ト) 事 業 所 税

(チ) 自動車税・自動車取得税・自動車重量税

(リ) 各種組合費・会費

② 事業に関係して支払う租税公課であっても必要経費にならないもの

(イ) 所得税・住民税

(ロ) 相続税・贈与税

(ハ) 町 内 会 費

　これらの租税公課は，事業者として支払うというより，個人 (消費者) と

して支払う性質が強いため，所得税法上必要経費への算入が認められていません。

5．交際費および寄附金

個人が支出する交際費および寄附金は家事的（事業に無関係）な支出と考えられ，原則として必要経費に算入することができません。ただし，それぞれ下記の要件を満たせば必要経費に算入することができます。

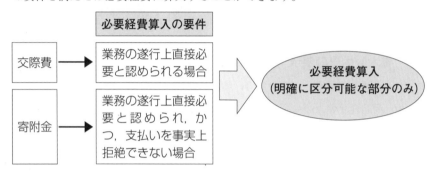

<必要経費に算入可能な交際費の例>

① 得意先開拓のための交際費

② 有利な価格で仕入れを行うための，取引先の交際費

③ 上記のほか収益を上げるための交際費

上記のように事業関連性がはっきりしているものに限ります。事業を営んでいなくても支出するようなものは必要経費に算入することができません。

6．修繕費と資本的支出

業務用固定資産について支出する修繕費，改築費等は，その性質によって修繕費と資本的支出に区分され，その取扱いが異なります。

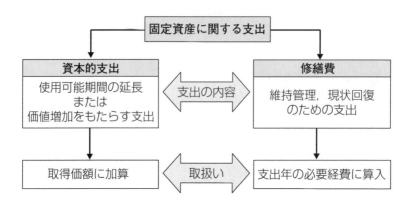

(1) 資本的支出の例示

①　建物の避難階段の取付け等，物理的に付加した部分に係る金額

②　用途変更のための模様替え等，改造または改装に直接要した金額

③　機械の部分品を特に品質または性能の高いものに取り替えた場合のその取替えに要した金額のうち，通常の取替えの場合にその取替えに要すると認められる金額を超える部分の金額

　(注)　建物の増築等は建物の取得にあたります。

(2) 修繕費の例示

①　建物の解体移築費用（旧資材の70％以上を使用して，従前の建物と同一規模，構造の建物を再建築する場合に限る）

②　機械装置の移設に要した費用

③　地盤沈下した土地を沈下前の状態に戻す費用

④　土地の水はけを良くするために行う砂利，砕石等を補充するために要した費用

しかし，業務用固定資産に関する支出が修繕費に該当するか資本的支出に該当するかの判定は，実際には非常に困難です。所得税基本通達において次頁の形式基準による判定も認められているため，実務においては形式基準に従って判定することが多いようです。

形 式 基 準

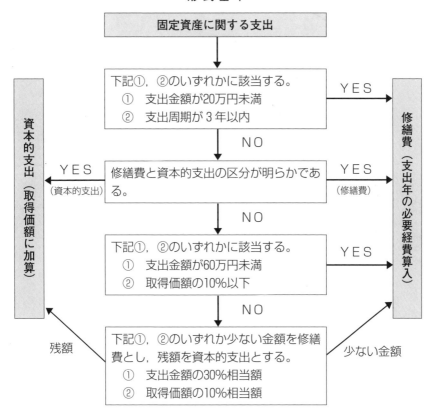

7. 利 子

(1) 必要経費に算入できるもの

　支払利息については，業務に関係するものであれば，原則として必要経費に算入することができます。基本的にはその利子の発生した借入金が何に使われたかで判定します。

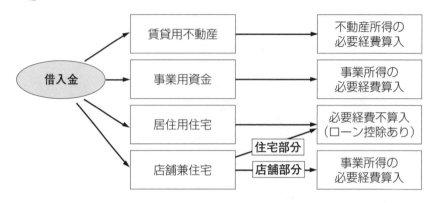

(2) 必要経費に算入できないもの

　業務に関係ないものは必要経費に算入できません。例えば，住宅ローンの支払利息等が該当します（住宅ローンに係る支払利息については，税額控除の適用がある。また，店舗兼住宅の場合には，店舗対応部分の利息については必要経費に算入できる）。

(3) 固定資産に係る利子の取扱い

　固定資産に係る利子は，その発生期間によって取扱いが異なります。

借入金で購入した資産の用途	利子が発生した期間		利子の取扱い
業務用固定資産取得 のための借入金の利子	業務開始後	使用後 →	必要経費 に算入
		使用前 （選択可）→	取得価額 に算入
	業務開始前 →		
非業務用固定資産取得 のための借入金の利子	使　用　前 →		
	使　用　後 →		処理なし

8．地代，家賃，損害保険料等

(1) 地代，家賃の取扱い

　業務に必要な建物や土地等を賃借している場合には，支払賃借料を必要経費に算入することができます。

ただし，店舗兼住宅などのように業務用かつ家事用として使用している場合には，床面積などの合理的な基準で支払賃借料を按分して，業務用部分のみを必要経費に算入します。

(2)　損害保険料の取扱い

業務に必要な建物や車，棚卸資産等を目的として損害保険契約を締結している場合には，その支払保険料は必要経費に算入することができます。

ただし，店舗兼住宅の場合には，地代家賃と同様に，合理的な基準で支払保険料を按分して，業務用部分のみを必要経費に算入します（住宅部分については損害保険料控除の適用が受けられる）。

また，損害保険の中には将来，満期返戻金が支払われるものもあります。この場合には，積立保険料相当部分は資産計上しなければならず，必要経費に算入することができません。

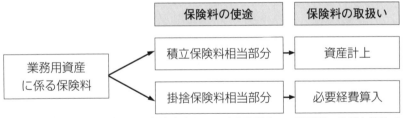

(注)　資産計上した保険料は，保険金または一時金取得時に一時所得の計算上控除できます。

(3)　必要経費算入時期

支払賃借料，保険料ともに原則としてその年（令和6年分の確定申告をする場合には令和6年中）に効力が発生した部分の金額しか必要経費に算入できません。例えば，年末に翌年1月以降の賃借料，保険料を前払いで支払った場合にはその部分は翌年の必要経費となります。また，逆に未払いの賃借料，保険料についてはその年に効力が発生する部分については，その年の必要経費に算入することができます。

しかし，前払費用であっても次に掲げる場合には，支払った年の必要経費に算入することができます。

前払費用をその年の必要経費に算入することができる場合

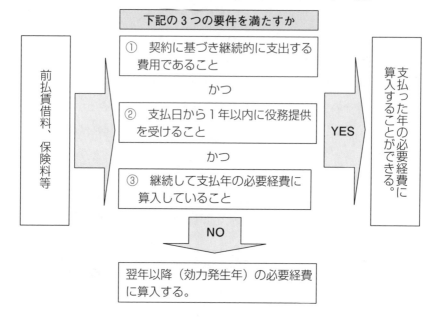

9. 家事費および家事関連費

　家事費とは，食費，遊興費，住宅の水道光熱費等のいわゆる生活費です。家事関連費とは，店舗兼住宅の賃借料，保険料や業務家事共用の自動車のガソリン代等の業務用部分と家事用部分が混合する支出です。家事費，家事関連費ともに原則として必要経費に算入することはできません。

　ただし，家事関連費については業務の遂行上必要である部分を明らかにすることができれば，その部分は必要経費に算入することができます。

10. 親族に支払う給料，賃借料等

　生計を一にする親族に対して給料を支払った場合や，生計を一にする親族の不動産を賃借して業務の用に供している場合の支払賃借料については原則として必要経費に算入することはできません。

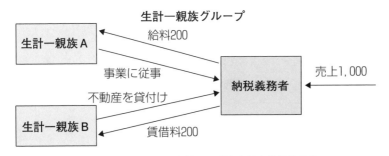

＜親族への支払給料，賃借料を必要経費に算入した場合＞

生計一親族グループ

生計一親族Ａ ← 給料200 ← 納税義務者 ← 売上1,000

事業に従事

不動産を貸付け

生計一親族Ｂ ← 賃借料200 ← 納税義務者

（注） 親族Ａは従業員として勤務，親族Ｂは所有店舗を納税義務者に賃貸しています。

① **親族Ａ，Ｂへ支払った400を納税義務者の必要経費に算入しない場合**

納税義務者の所得→1,000

② **親族Ａ，Ｂへ支払った400を納税義務者の必要経費に算入した場合**

納税義務者の所得→1,000－400＝600 ⎤
親 族 Ａ の 所 得→200　　　　　　　⎬ 親族グループの
親 族 Ｂ の 所 得→200 ⎦　　　　　　　所得の合計1,000

　所得税は所得が多いほど税率も高率な超過累進税率であるため，所得が3名に分散されることにより低税率が適用可能となってしまうこと，また，所得控除，給与所得控除等も個人単位で適用されるため，意図的に税金の軽減が図られてしまいます。

　なお，親族Ｂが所有店舗について支払った固定資産税や損害保険料については，納税義務者の必要経費に算入することができます。その場合，納税義務者の必要経費に算入した固定資産税等については，親族Ｂの必要経費に算入することはできません。

11. 借地権の更新料

　借地権の更新料を支払った場合には，次の金額を支払った年の必要経費に算

入します。

$$借地権の取得費 \times \frac{支払った更新料の金額}{更新時の借地権の価額} = 必要経費算入額$$

(注) 借地権の取得費は過去に支払った改良費，更新料を加算し，取得費のうち過去
に必要経費に算入された金額を控除して求めます。

12. 貸倒損失

(1) 取扱い

業務上の売掛金，貸付金，前払金等が回収できなくなった場合には，次のと
おり取り扱います。

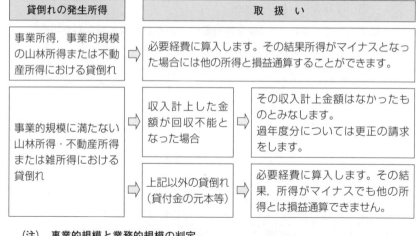

貸倒れの発生所得	取扱い
事業所得，事業的規模の山林所得または不動産所得における貸倒れ	必要経費に算入します。その結果所得がマイナスとなった場合には他の所得と損益通算することができます。

| 事業的規模に満たない山林所得・不動産所得または雑所得における貸倒れ | 収入計上した金額が回収不能となった場合 | その収入計上金額はなかったものとみなします。過年度分については更正の請求をします。 |
| | 上記以外の貸倒れ（貸付金の元本等） | 必要経費に算入します。その結果，所得がマイナスでも他の所得とは損益通算できません。 |

(注) **事業的規模と業務的規模の判定**

不動産所得はその貸付けの規模に応じて事業的規模と業務的規模とに区分され
ます。その判定は社会通念上事業と称するに至る程度の規模で貸付けが行われて
いるかどうかで行いますが，次のいずれかに該当する場合には，その貸付けは事
業的規模となります。

① 貸間，アパート等については，貸与可能な独立した室数がおおむね10室以上
であること

② 独立家屋の貸付けについては，おおむね５棟以上であること

③ 土地の貸付けについては，上記①の判定基準を参考とします。

この場合，1室に相当する件数をおおむね5件として判定します。

(2) 貸倒れの事実および必要経費算入額

単に自己の判断で回収不能とした場合には，上記(1)のような取扱いはできません。貸倒損失を必要経費に算入するためには，客観的に貸倒れの事実が認められる必要があります。

貸倒れの事実には，①法律上の貸倒れ，②事実上の貸倒れ，③形式上の貸倒れがあります。

法律上の貸倒れ

適用法律等	発生事実	必要経費算入金額
会社更生法	更生計画の認可決定による切捨て	切捨て金額
民事再生法	再生計画の認可決定による切捨て	
会社法	特別清算協定等の認可決定による切捨て	
破産法	強制和議の認可決定による切捨て	
関係者協議	合理的基準による切捨て	
書面による債務免除	相当期間債務超過かつ返済不能と認められる	

事実上の貸倒れ

発生事実	必要経費算入額
債務者の資産状況，支払能力等からその債務の全額を回収できないことが明らか（担保がある場合を除く）。	その債務者に対する貸金等の全額を必要経費に算入する。

形式上の貸倒れ

発生事実	必要経費算入額
債務者との取引停止日以後1年以上経過（担保物がある場合を除く）。 売掛債権額がその回収のための旅費に満たず，かつ，督促しても弁済がない。	売掛債権の額から備忘価額を控除した残額を必要経費に算入する。

13. 貸倒引当金

(1) 貸倒引当金とは

　貸倒引当金の設定とは，来年以降予測される事業遂行上生じた売掛金等の金銭債権の貸倒れを見積もり，本年に費用計上することです。見積金額を費用に計上するため，必要経費に算入できる金額には制限があります。

(2) 引当金の設定方法

　設定方法には個別評価方式と一括評価方式の2つの方法があります。個別評価方式は一定の事実が生じていることにより，貸倒れの可能性が高い金銭債権に適用される方法です。一括評価方式は個別評価方式の対象となる金銭債権以外に適用される方法です。

(3) 個別評価方式

　個別評価方式により貸倒引当金を設定できる個人事業者は，「不動産所得，事業所得または山林所得を生ずべき事業を営む個人事業者」に限られます。

　また，その金銭債権につき下記の事実が生じていなければ個別評価方式によることはできません。その事実に応じて設定方法も異なってきます。

　＜個別評価方式によることができる事実＞

　① 下記の事実の発生により金銭債権が弁済猶予または分割弁済されること。

　　(イ) 会社更生法または金融機関等の更生手続の特例等に関する法律の規定による更生計画認可の決定

　　(ロ) 民事再生法の規定による再生計画認可の決定

　　(ハ) 破産法の規定による強制和議の認可の決定

　　(ニ) 会社法の規定による特別清算に係る協定の認可

　　(ホ) 関係者協議において合理的な基準により負債整理を定めているもの

　② 債務者が相当期間債務超過であり，その営む業務に好転の見通しがないこと，または災害等により多大な損害が生じていることその他の事由が生じていること（上記①に該当する金銭債権を除く）。

　③ その金銭債権に係る債務者に次の事実が生じていること（上記①および

②に該当する場合を除く）。

(イ)　会社更生法または金融機関等の更生手続の特例等に関する法律の規
　　定による更生手続開始の申立て

(ロ)　民事再生法の規定による再生手続開始の申立て

(ハ)　破産法の規定による破産の申立て

(ニ)　会社法の規定による整理開始または特別清算開始の申立て

(ホ)　手形交換所の取引停止処分

繰入限度額

発生事実	繰入限度額
上記①	下記算式により計算した金額 金銭債権額－5年以内の回収予定額－担保による回収額
上記②	金銭債権のうち取立てが見込めない部分の金額
上記③	下記算式により計算した金額 （金銭債権額－担保・保証による取立見込額－実質債権と認められない部分の金額(注)）×50%

(注)　実質的に債権と認められない部分の金額とは、同一人に対して売掛金と買
　　掛金、借入金等を有し相殺可能な状態にある金額をいいます。

(4)　一括評価方式

　一括評価方式により貸倒引当金を設定することができる個人事業者は、青色
申告者で事業所得を生ずべき事業を営む個人事業者です。一括評価方式は個別
評価方式の対象となる金銭債権以外の金銭債権について適用される設定方法で
す。個別評価方式のように金銭債権の回収に疑義が生じている必要はありませ
ん。対象となる金銭債権、繰入限度額は次のとおりです。

①　対象となる金銭債権

　　売掛金、受取手形、事業上の貸付金その他事業所得の収入となる金銭債
　権をいいます。預け金、手付金、仮払金等および実質的に債権と認められ
　ない部分、個別評価方式の対象となった金銭債権は除きます。

② **繰入限度額**

次の算式により計算した金額を必要経費に計上します。

金　融　業	その年12月31日における一括評価 の対象となる金銭債権の合計額	×	$\dfrac{33}{1,000}$

金融業以外 の　事　業	その年12月31日における一括評価 の対象となる金銭債権の合計額	×	$\dfrac{55}{1,000}$

14. 事業用固定資産等の損失

業務・事業の用に供されていた固定資産・繰延資産等について取壊し，除却，滅失等により損失が生じた場合には，次のような取扱いがあります。

事業所得，事業的規模の山林所得または不動産所得の取扱い

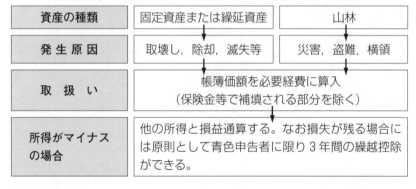

資産の種類	固定資産または繰延資産	山林
発 生 原 因	取壊し，除却，滅失等	災害，盗難，横領
取 扱 い	帳簿価額を必要経費に算入 （保険金等で補填される部分を除く）	
所得がマイナス の場合	他の所得と損益通算する。なお損失が残る場合には原則として青色申告者に限り３年間の繰越控除ができる。	

業務的規模の不動産所得または雑所得の取扱い

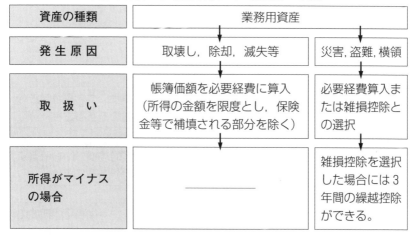

資産の種類	業務用資産	
発生原因	取壊し，除却，滅失等	災害,盗難,横領
取扱い	帳簿価額を必要経費に算入（所得の金額を限度とし，保険金等で補填される部分を除く）	必要経費算入または雑損控除との選択
所得がマイナスの場合	————	雑損控除を選択した場合には3年間の繰越控除ができる。

15. 青色事業専従者給与または事業専従者控除

　個人事業者が生計を一にする親族に給料を支払った場合には，原則としてその給料は必要経費に算入することができません。ただし，青色申告者には青色事業専従者給与，白色申告者には事業専従者控除が認められています。それぞれの内容，適用要件は次のとおりです。

(1) 青色事業専従者

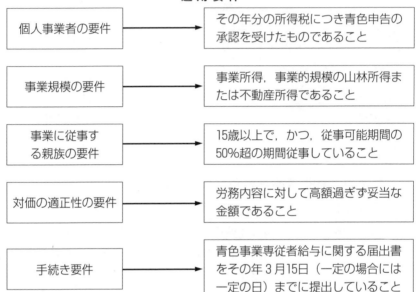

取 扱 い

> 支給額を必要経費に算入

適 用 要 件

個人事業者の要件	その年分の所得税につき青色申告の承認を受けたものであること
事業規模の要件	事業所得，事業的規模の山林所得または不動産所得であること
事業に従事する親族の要件	15歳以上で，かつ，従事可能期間の50％超の期間従事していること
対価の適正性の要件	労務内容に対して高額過ぎず妥当な金額であること
手続き要件	青色事業専従者給与に関する届出書をその年3月15日（一定の場合には一定の日）までに提出していること

(2) **事業専従者控除**

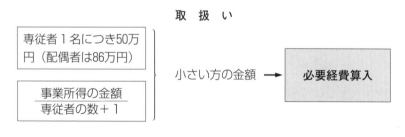

取 扱 い

| 専従者1名につき50万円（配偶者は86万円） |
| 事業所得の金額 ／ 専従者の数＋1 |

小さい方の金額 → **必要経費算入**

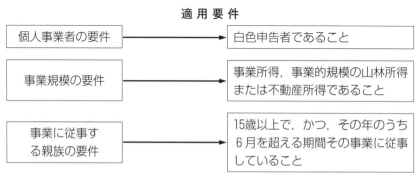

適 用 要 件

個人事業者の要件	→	白色申告者であること
事業規模の要件	→	事業所得，事業的規模の山林所得または不動産所得であること
事業に従事する親族の要件	→	15歳以上で，かつ，その年のうち6月を超える期間その事業に従事していること

16. 青色申告特別控除

　青色申告特別控除とは青色申告書を提出する者の不動産所得，事業所得または山林所得の金額の計算上認められる一定の控除額です。青色申告特別控除の適用要件は，青色申告書を提出することにつき税務署長の承認を受けていることです。控除額は事業規模，記帳形態により次頁のように異なります。

控除額の判定

次の①，②を同時に満たしている。
① 事業的規模の不動産所得または事業所得である。
② 取引を複式簿記で記録し，損益計算書，貸借対照表を添付している。

YES

NO

特別控除前の所得金額を限度として55万円を控除する。

特別控除前の所得金額を限度として10万円を控除する。

(**注1**) 現金主義を選択している場合には，55万円の特別控除は受けられません。

(**注2**) 不動産所得の金額または事業所得の金額の合計額が55万円未満の場合には，その合計額が限度になります。

(**注3**) 不動産所得→事業所得→山林所得の順に控除します。

(**注4**) 55万円の控除額は電子申告または電子帳簿保存をすることで，65万円になります。

17. 消 費 税 等

(1) 消費税等とは

消費税等とは，消費税および地方消費税のことをいい，「事業として対価を得て行われる資産の譲渡，貸付け，役務提供」に対して課税する税金です。事業者が資産の譲渡等をする際に消費者から消費税等を預り，国に納付します。事業者も仕入れ時などに消費税等を支払っていますので国に収める消費税等は「預り消費税等－支払消費税等」となります。

取引の中には次のとおり，消費税等が課税されない取引もあります。

消費税が課税されない取引

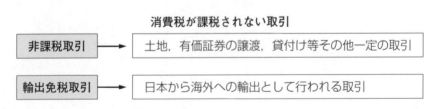

| 非課税取引 | ➡ | 土地，有価証券の譲渡，貸付け等その他一定の取引 |
| 輸出免税取引 | ➡ | 日本から海外への輸出として行われる取引 |

(2)　消費税等の経理処理

消費税等の経理処理方法は，次の2つの方法があります。どちらを選択するかは，事業者の任意です。

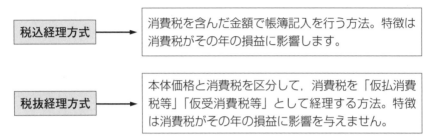

| 税込経理方式 | → | 消費税を含んだ金額で帳簿記入を行う方法。特徴は消費税がその年の損益に影響します。 |

| 税抜経理方式 | → | 本体価格と消費税を区分して，消費税を「仮払消費税等」「仮受消費税等」として経理する方法。特徴は消費税がその年の損益に影響を与えません。 |

(3)　所得税における消費税等の取扱い

税込経理方式

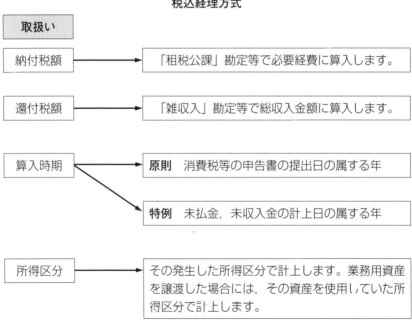

取扱い

| 納付税額 | → | 「租税公課」勘定等で必要経費に算入します。 |

| 還付税額 | → | 「雑収入」勘定等で総収入金額に算入します。 |

| 算入時期 | → | **原則**　消費税等の申告書の提出日の属する年 |
| | → | **特例**　未払金，未収入金の計上日の属する年 |

| 所得区分 | → | その発生した所得区分で計上します。業務用資産を譲渡した場合には，その資産を使用していた所得区分で計上します。 |

税抜経理方式

18. 家内労働者等の所得計算の特例

(1) 家内労働者とは

　家内労働者とは外交員，集金人，電力計の検針人等その他委託者から委託を受けて製造，販売等の業務に従事する者をいいます。

(2) 家内労働者の所得計算の特例

　家内労働者が営む事業所得を生ずべき事業または雑所得を生ずべき業務について，これらの必要経費の合計額が55万円に満たない場合には，55万円（他に給与所得がある場合には，55万円から実際に給与所得控除額として控除した金額を控除した残額）を必要経費に算入することができます。

『第3章』

10種類の所得

所得税では所得を10種類に分けています。

第1節　利子所得

1．利子所得の範囲

利子所得とは，次の5つに限定された利子等による所得をいいます。

	種　類	具体例
①	公社債の利子	国債，地方債，社債の利子
②	預貯金の利子	銀行その他の金融機関の預貯金の利子，社内預金の利子
③	合同運用信託の収益の分配(注1)	貸付信託の収益の分配
④	公社債投資信託の収益の分配(注2)	MMF，MRF，中期国債ファンドの収益の分配
⑤	公募公社債等運用投資信託の収益の分配(注3)	―

(注1) 　合同運用信託とは，信託会社（信託業務を営む金融機関を含む）が引き受けた金銭信託で，共同しない多数の委託者の信託財産を合同して運用するものをいいます。

(注2) 　公社債投資信託とは，証券投資信託のうち，その信託財産を公社債に対する投資として運用することを目的とするもので，株式または出資に対する投資として運用しないものをいいます。

(注3) 　公募公社債等運用投資信託とは，証券投資信託以外の投資信託のうち，信託財産として受け入れた金銭を公社債等（公社債，手形，指名金銭債権）に対して運用するもので，その設定に係る受益証券の募集が公募により行われるものをいいます。

利子所得は一般的に利子と考えられるものよりも範囲が限定されています。例えば，次に掲げるものは通常利子といわれますが，利子所得ではなく雑所得として取り扱われます。

① 学校債，組合債の利子

② 知人，会社などに対する貸付金の利子

③ 従業員の家族や役員が会社に預け入れた金銭の利子

2．利子所得の金額

利子所得の金額は，その年に支払いを受けた利子等の収入金額（税金が差し引かれる前の金額）です。

> 利子所得の金額＝収入金額（税込み）

3．利子所得に対する課税

(1) 源泉分離課税

国内において支払われる利子等については，利子等の支払いをする金融機関等がその利子等の金額のうち20.315％（所得税15.315％・住民税5％）の税率により計算した所得税等を差し引いて支払います（「源泉徴収」という）。この源泉徴収によって，利子所得に対する課税は終了します。したがって，国内において支払われる利子等を受けた者は確定申告の手続きをする必要はありません。

(2) 申告分離課税

特定公社債等の利子は，上場株式の配当と同様の取扱いとなります。特定口座で源泉徴収が行われる場合は，申告不要（源泉徴収のみで課税終了）とするか，または，申告分離課税（確定申告で上場株式等の売却損等とあわせて20.315％の課税）とするかを選択できます。

公社債等に係る利子所得の課税方式

内　　容	課税方式
特定公社債等[注1]の利子	申告分離課税 　所得税：15.315% 　住民税：5％ 　（源泉徴収が行われるものに限り申告不要が選択 　可能）
一般公社債等[注2]の利子	源泉分離課税[注3] 　所得税：15.315% 　住民税：5％

（注1） 特定公社債等とは，特定公社債（国債，地方債，外国国債，外国地方債，公募公社債，上場公社債，等），公募公社債投資信託の受益権，等一定の公社債等を指します。
（注2） 一般公社債等とは，特定公社債等以外の公社債等を指します。
（注3） 同族会社が発行した社債の利子で，その同族会社の役員等が支払いを受けるものについては，総合課税の対象となります。

4．利子所得の非課税

次に掲げる利子収入は所得税がかかりません。

① 納税準備預金の利子

② 元本350万円以下の障害者等の少額預金等の利子

③ 元本550万円以下の勤労者財形貯蓄（住宅または年金）の利子

（注） ②，③については，金融機関等にあらかじめ「非課税貯蓄申告書」を提出する必要があります。

第2節　配当所得

1．配当所得の範囲

配当所得とは，次の配当等による所得をいいます。

① 剰余金の配当，利益の配当

② 剰余金の分配（出資に係るものに限る）

③　基金利息

④　投資信託（公社債投資信託および公募公社債等運用投資信託を除く）の収益の分配

⑤　特定受益証券発行信託の収益の分配

⑥　みなし配当

2．配当所得の金額

配当所得の金額は，以下の算式により計算します。

配当所得の金額　＝　収入金額（税込み）　－　株式等を購入するための借入金に係る利子

3．配当所得に対する課税

配当所得は原則として総合課税される所得ですが，一定のものは申告をしないで源泉徴収のみで課税を終了させる方法や申告分離課税も選択することができます。

	内　　容	源泉徴収税率	申告不要	申告分離課税 (注4)	総合課税 (注3)
①	上場株式等の配当等（公募株式投資信託の収益の分配を含む）（大口株主(注1) が受け取る配当等を除く）	20.315%（所得税15.315%）（住民税5％）	源泉徴収のみで課税関係終了	上場株式等の譲渡損との損益通算可	配当控除可
②	上記①以外の配当等（大口株主(注1) が受け取る配当・非上場株式の配当　等）	20.42%（所得税のみ）	少額配当(注2)は，所得税の確定申告は不要（住民税の申告は必要）		配当控除可

（注1）　大口株主とは発行済み株式総数の３％以上を所有する個人株主をいいます。

（注2）　少額配当とは１銘柄１回の配当金が $10万円 \times \dfrac{配当計算期間の月数}{12か月}$ で計算した金額以下のものとなります。

（注3）　外国法人から受ける配当，会社型不動産投資信託に係る配当は配当控除の対象
　　　　外となります。
（注4）　申告分離課税を選択した場合には，上場株式等の譲渡損失と損益通算をするこ
　　　　とができます。

第3節　不動産所得

1．不動産所得の範囲

　不動産所得とは，不動産，不動産の上に存する権利，船舶または航空機の貸
付けによる所得をいいます。不動産の貸付けによる所得であっても他の所得に
区分される場合があります。

具　体　例

	内　　容		区　　分
①	アパート，下宿など	アパートのように食事を供さない場合の所得	不動産所得
		下宿等のように食事を供する場合の所得	事業所得または雑所得
②	広告等のため，家屋の屋上や側面などを使用させる場合の所得		不動産所得
③	不動産業者が販売の目的で取得した不動産を一時的に貸し付けた場合の所得		事業所得
④	寄宿舎などの使用料		事業所得
⑤	有料駐車場等	自己の責任において他人のものを保管する場合の所得	事業所得または雑所得
		それ以外	不動産所得
⑥	借地権の設定により支払いを受ける権利金で，その土地の価格の10分の5を超える場合の所得		譲渡所得

2．不動産所得の金額

不動産所得の金額は，次の算式により計算します。

> **不動産所得の金額＝総収入金額－必要経費**

⑴　総収入金額

　総収入金額とは，その年において支払いを受けるべき家賃，地代，更新料などをいいます。例えば，契約または慣習により支払日が定められているものはその定められた日が収入すべき時期となり，実際に受け取っていない場合であっても収入計上します。

⑵　必要経費の取扱い

　必要経費は固定資産税，火災保険料，減価償却費，借入金利子などです。不動産所得が事業として営まれているかどうかにより必要経費の取扱いが異なる場合があります。事業として行われているかどうかの判定は社会通念上事業といわれる規模で行われているかどうかにより判断します。

内　　容		取　扱　い	
生計を一にする親族に対する給与	事業的規模	青色申告者―青色事業専従者給与 白色申告者―事業専従者控除	必要経費算入
	上記以外	必要経費とならない	
固定資産の損失	事業的規模	全額必要経費	
	上記以外	損失控除前の不動産所得の金額までが必要経費	

3．不動産所得の課税上の取扱い

⑴　総合課税

　不動産所得は給与所得，事業所得など他の所得と合算されて確定申告により所得税額が計算される，いわゆる総合課税方式により課税されます。

⑵　臨時所得となる不動産所得の取扱い

　賃借期間が3年以上，その他一定の要件を満たす場合に一時に支払いを受け

る権利金等は臨時所得に該当し，平均課税（第6章第2節参照）により税額を計算することができます。

第4節 事業所得

1．事業所得の金額の計算

⑴ 事業所得の範囲

　事業所得とは，農業，漁業，製造業，卸売業，小売業，サービス業などの事業から得た所得をいいます。

⑵ 事業所得の金額

　事業所得の金額は，その年における総収入金額から必要経費を差し引いて計算します。

事業所得の金額＝総収入金額－必要経費

① 総収入金額

　事業所得の収入計上時期は，次のとおりです。

区　　　　分	収入の時期
棚卸資産の販売（試用販売，委託販売を除く）	引渡しがあった日
棚卸資産の試用販売	相手が購入の意思を表示した日
棚卸資産の委託販売	受託者が委託品を販売した日
物の引渡しを要する請負契約	完成して全部を引き渡した日
物の引渡しを要しない請負契約	役務の提供が完了した日
人的役務の提供（請負を除く）	人的役務の提供が完了した日
資産の貸付けによる賃貸料でその年に対応するもの	その年の末日
金銭の貸付けによる利息または手形の割引料でその年に対応するもの	その年の末日

次の収入は事業所得の収入として計上します。

⑷　棚卸資産についての火災保険金

㋺　営業に関して受け取る損害賠償金

㋩　棚卸資産の自家消費，贈与

なお，棚卸資産を家事のために消費または贈与した場合には，次の金額を事業所得の収入金額とします。

> **通常の販売価格**

ただし，仕入価額で記帳している場合には，記帳した価額が販売価格の70％以下の場合は通常の販売価格の70％相当額とします。

② **必 要 経 費**

事業所得の計算上必要経費に算入できるものは，収入を得るためにかかった固定資産税，火災保険料，減価償却費などです。

(3) **事業所得に対する課税の取扱い**

事業所得は，不動産所得，給与所得などの他の所得と合算されて確定申告により所得税額が計算される，いわゆる総合課税方式により課税されます。

2. 収入時期の特例

(1) 収入時期の原則

収入金額を計上する時期は，原則として資産の引渡しのあった日または役務の提供が完了した日です。

(2) 収入計上の特例

① 延 払 基 準

次の要件を満たす割賦販売をした場合には，担税力を考慮して，収入および必要経費の計上を先送りすることができます。この方法を延払基準といいます。

⑷　賦払回数≧3回

㋺　賦払期間≧2年

(ハ) 対価の額のうち頭金の占める割合≦3分の2

<延払基準の計算の方法>

① 収入の計上

支払期限の到来した賦払金

② 必要経費の計上

$$(原価の額＋販売手数料等) \times \frac{その年に支払期日の到来する賦払金}{対価の額}$$

<具体例>

・令和6年に商品を500万円（原価350万円）で販売

・令和6年から令和9年までの5年間で100万円ずつ現金を受取り

	令和6年	令和7年	令和8年	令和9年	令和10年
総収入金額	100万円	100万円	100万円	100万円	100万円
必要経費	70万円	70万円	70万円	70万円	70万円

・総収入金額……収入した金額（毎年100万円ずつ）

・必要経費……$100万円 \times \dfrac{350万円}{500万円} = 70万円$

② 工事進行基準

　工事の請負をした場合には，所得の平準化を図るため，役務提供の終了を待たずに収入および必要経費を計上できます。この方法を工事進行基準といいます。なお，長期大規模工事[注]に該当する場合は，この工事進行基準が強制されます。

(注) 長期大規模工事とは，原則として，その工事の着手の日から引渡しまでの期間が1年以上であること，請負対価の額が10億円以上であることなどの要件を満たす工事（製造を含む）です。

<工事進行基準の計算の方法>

① 総収入金額

$$\text{見積請負金額} \times \frac{\text{その年の年末までにかかった工事原価}}{\text{見積工事原価}} - \text{既に収入に計上した金額}$$

② 必要経費

その年に発生した費用

<具体例>

・令和6年に5,000万円（見積原価4,000万円）で工事の請負

・工事原価の発生は，以下のとおり

	令和6年	令和7年	令和8年	令和9年	令和10年
費用の発生	500万円	800万円	1,000万円	1,000万円	700万円
総収入金額	625万円	1,000万円	1,250万円	1,250万円	875万円
必要経費	500万円	800万円	1,000万円	1,000万円	700万円

令和6年の金額の計算

・総収入金額……$5{,}000万円 \times \dfrac{500万円}{4{,}000万円} = 625万円$

・必要経費……500万円

3．棚卸資産

(1) 棚卸資産の範囲

棚卸資産とは，事業所得を生ずべき次に掲げる資産で棚卸しをすべきものをいいます。

① 商品または製品

② 半製品

③ 仕掛品

④　主要原材料

⑤　補助原材料

⑥　消耗品で貯蔵中のもの

⑦　これらの資産に準ずるもの

(2)　取 得 価 額

　棚卸資産の取得価額は，購入対価のほか，引取運賃や購入手数料など購入のために要した費用を含めます。ただし，付随費用等の額の合計額がおおむね購入代価の３％以内の金額であるものについては取得価額に算入せず，必要経費に算入することができます。

(3)　売 上 原 価

　売上原価は，次のように計算します。

①　小売業などの場合

$$売上原価＝期首商品棚卸高＋当期商品仕入高－期末商品棚卸高$$

②　製造業などの場合

$$売上原価＝期首製品棚卸高＋当期製品製造原価－期末製品棚卸高$$

期首商品 （製品）棚卸高	売上原価	→	売上原価	売　　上
当期仕入高 （製品製造原価）	期末商品 （製品）棚卸高		その他の費用	
			事業所得	

(4)　評 価 方 法

　棚卸資産の評価方法は，原価法と低価法があり，原価法は次の６つに区分されます。なお，低価法は青色申告者にのみ認められた特例です。

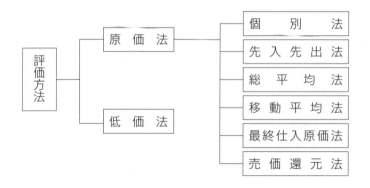

　これらの評価方法を採用しようとする場合には，その採用する評価方法の内容，その方法を採用しようとする理由を，事業の種類，資産の区分ごとに税務署長に届け出なければいけません。なお，届け出なかった場合は，最終仕入原価法による原価法により評価することになります。

4．青色申告者の減価償却の特例

(1)　青色申告者の特別償却・割増償却

　青色申告者は，特定の減価償却資産について，通常の減価償却費のほかに特別償却・割増償却費を計上することができます。適用を受ける場合には，確定申告書にこれらの金額その他一定の事項を記載し，かつ，明細書等の添付が必要です。

(2)　特別償却・割増償却の計算

　特別償却費は減価償却資産の取得価額に一定の割合を乗じた金額，割増償却費は通常の償却費に一定の割合を乗じた金額です。なお，特別償却費は取得年または翌年しか計上することができませんが，割増償却費は一定期間計上することができます。

特別償却	減価償却資産の取得価額×一定割合
割増償却	通常の償却費×一定割合

　通常の減価償却費に，上記の算式により計算した特別償却費等を加算した金額が，その年の減価償却費が計上できる限度額となります。なお，通常の償却費は，強制的に費用に計上されますが，この特別償却費等の計上は任意になっています。

その年の 償却限度額	＝	通常の減価償却費 （強制計上）	＋	特別償却費・割増償却費 （任意計上）

(3)　主な特別償却の種類

　主な特別償却の種類は下表のとおりですが，青色申告者であること，中小事業者であることなどの要件があり，適用期間・適用対象資産も限定されています。

	内　　　容	青色申告者 の要件	中小事業者 の要件(注1)	適用期間	割　合(注2)
特別償却	中小事業者が機械等を取得した場合等の特別償却	○	○	H10/6/1～ R7/3/31	$\dfrac{30}{100}$

(注1)　中小事業者とは，常時使用する従業員が1,000人以下の青色申告者をいいます。
(注2)　普通償却費との合計で100％を上限とします。

第5節　給与所得

1．給与所得の範囲

　給与所得とは，俸給，給与，賃金，歳費，賞与などによる所得をいいます。

2．給与所得の金額

　給与所得の金額は，源泉徴収前の給与の額から給与所得控除額を差し引いて計算します。

給与所得の金額	＝	収入金額	－	給与所得控除額

3．給与所得控除額

　給与所得控除額とは，給与を得るためにかかった経費とみなして，給与の額から差し引くことができるものです。次の算式により計算します。

収入金額		給与所得控除額
	162.5万円以下	55万円
162.5万円超	180万円以下	収入金額×40%－　10万円
180万円超	360万円以下	収入金額×30%＋　　8万円
360万円超	660万円以下	収入金額×20%＋　44万円
660万円超	850万円以下	収入金額×10%＋110万円
850万円超		195万円

4．特定支出の特例

　転任に伴う転居費や職務の遂行に直接必要な知識を得るために受講する研修費などの支出をした場合において，その支出額のうち一定額（「特定支出控除額」という）を給与所得控除後の所得金額から差し引くことができます。

$$特定支出控除額＝特定支出額－給与所得控除額×\frac{1}{2}$$

（注）　特定支出額とは以下の費用の合計額をいい，給与支払者またはキャリアコンサルタントの証明があるものに限られます。
　　通勤費，転居費，帰宅旅費，研修費，勤務必要経費（職務と関連のある図書費，衣服費，交際費などで上限65万円），職務遂行に直接必要な弁護士等の資格取得費

5．給与所得に対する課税の取扱い

　給与所得を支払う者は支払いのつど所得税を源泉徴収します。年末調整で課税が終了する場合と年末調整を行わず確定申告で所得税を確定させる場合があります。

令和6年分　給与所得の源泉徴収票

種別	支払金額	給与所得控除後の金額（調整控除後）	所得控除の額の合計額	源泉徴収税額
給与，賞与	内 5,000,000	3,560,000	1,449,600	内 117,900

支払を受ける者　住所又は居所：東京都新宿区
氏名（フリガナ）スズキ タロウ　鈴木 太郎

（源泉）控除対象配偶者の有無等：有 ○

控除対象扶養親族の数（配偶者を除く。）その他：1

社会保険料等の金額：内 159,600
生命保険料の控除額：50,000

（摘要）

旧生命保険料の金額：120,000

控除対象扶養親族
1 氏名 鈴木 ◇◇
2 氏名 鈴木 □□

受給者生年月日：昭和 △△ △ △

支払者　住所（居所）又は所在地：東京都渋谷区
氏名又は名称：（株）○○○○○
（電話）03-1234-5678

375

① 給与収入…………500万円

② 給与所得控除……500万円×20％＋44万円＝144万円

③ 所得控除…………1,449,600円

　　配偶者控除（38万円）＋扶養控除（38万円）＋社会保険料控除（159,600円）＋

　　生命保険料控除（5万円）＋基礎控除（48万円）

④ 課税所得…………①－②－③≒2,110,000円（千円未満切捨て）

⑤ 所得税額…………2,110,000円×10.21％－97,500円＝117,900円（百円未満切捨て）

第6節　譲渡所得

1．譲渡所得の概要

(1)　譲渡所得の意義

　譲渡所得とは，資産の譲渡による所得をいいます。ただし，金銭債権や棚卸資産等の譲渡による所得，山林の伐採または譲渡による所得は含まれません。

　なお，譲渡には，通常の売買のほか，交換や法人に対する贈与等も含まれます。

(2)　譲渡所得の区分

　譲渡所得は，譲渡する資産の種類および所有期間により次のように区分され，それぞれ課税の取扱い（総合課税または分離課税）が異なります。

①　土地等・建物，株式等以外の資産（ゴルフ会員権，特許権等）の譲渡

　　他の所得（給与所得，事業所得，不動産所得等）と合算して所得を計算する総合課税です。

(イ)　長期譲渡所得

　　資産の取得の日から譲渡の日までの所有期間が5年を超えている場合には，長期譲渡所得となります。

(ロ)　短期譲渡所得

　　資産の取得の日から譲渡の日までの所有期間が5年以下の場合には，短

期譲渡所得となります。

②　土地等・建物の譲渡

他の所得と分離して所得税を計算する分離課税です。

(イ)　長期譲渡所得

譲渡した年の1月1日における所有期間が5年を超えている場合には，長期譲渡所得となります。

(ロ)　短期譲渡所得

譲渡した年の1月1日における所有期間が5年以下の場合には，短期譲渡所得となります。

③　株式等の譲渡

株式等の譲渡は，他の所得と分離して所得税を計算する分離課税です。

なお，株式等の譲渡については所有期間の区分はありません。

(3)　譲渡所得の金額の計算

譲渡所得の金額の計算にあたっては，(2)で区分した譲渡資産の各グループごとに「譲渡損益」を求めます。

①　土地等・建物，株式等以外の譲渡

総合課税される譲渡所得の金額は，譲渡収入金額から譲渡した資産の取得費および譲渡に要した費用を差し引き，さらに特別控除として最高50万円を差し引いて計算します。

なお，その年において総合課税される長期譲渡所得と短期譲渡所得の両方がある場合，特別控除はまず短期譲渡所得から優先して差し引きます。

> **譲渡所得の金額＝譲渡収入金額－（取得費＋譲渡費用）－特別控除（最高50万円）**

短期譲渡所得の金額は全額が総合課税の対象になりますが，長期譲渡所得の金額はその2分の1が総合課税の対象になります。

②　土地等・建物の譲渡

(イ)　譲渡所得の計算

土地等・建物の譲渡所得の金額は，譲渡による収入金額から譲渡した資

産の取得費および譲渡に要した費用を差し引いて計算します。

譲渡所得の金額＝譲渡収入金額－（取得費＋譲渡費用）

(ロ) 税額の計算

(a) 短期譲渡所得

短期譲渡所得に対しては，平成25年から令和19年まで，復興特別所得税が課されるため，39.63％（所得税30.63％・住民税９％）の税率により税金が課税されます。

(b) 長期譲渡所得

長期譲渡所得に対しては，平成25年から令和19年まで復興特別所得税が課されるため，20.315％（所得税15.315％・住民税５％）の税率により税金が課税されます。

③ 株式等の譲渡

(イ) 譲渡所得の計算

株式等の譲渡所得の金額は，譲渡による収入金額から譲渡した株式等の取得費および譲渡に要した費用，さらに譲渡した株式等を借入金で取得していた場合の譲渡年分の借入金利子を差し引いて計算します。

(ロ) 税額の計算

株式等に係る譲渡所得の金額に対しては，平成25年から令和19年まで復興特別所得税が課されるため，20.315％（所得税15.315％・住民税５％）の税率により税金が課税されます。

譲渡所得の金額＝
譲渡収入金額－（取得費＋譲渡費用＋譲渡した年の負債利子）

(4) 収入金額

資産を売却した場合には，原則として資産の引渡しがあった日に収入があったものとします。

ただし，資産の譲渡契約の効力発生日に譲渡があったとして収入計上し，申

告することもできます。

(5) 取　得　費

　譲渡した資産の取得費とは，その資産の購入価額およびその後その資産に改良を加えた場合の改良費等の合計額をいい，その資産が建物，車両等期間の経過により価値が減少する場合にはその資産の所有期間に係る減価償却費相当額を差し引いたものが取得費（相続または贈与により取得した資産の場合には，被相続人または贈与者の購入価額等に基づいて計算する）となります。なお，ゴルフ会員権や美術品は，時の経過とともに価値は減少しませんので減価償却費相当額を控除することはしません。

$$取得費 = \begin{matrix}譲渡した資産の取得\\に要した金額\end{matrix} + その後の改良費 - 償却費相当額^{(注)}$$

　(注)　自宅等の非業務用資産（建物）を譲渡した場合の減価償却費は，法定耐用年数に1.5を乗じた年数に基づき，定額法により計算します。

　なお，取得費は，概算取得費（譲渡収入金額×5％相当額）と実際の取得費とのいずれか多い金額の選択が可能です。なお，概算取得費を選択した場合には，減価償却費を控除する必要はありません。

(6) 譲　渡　費　用

　譲渡費用には，資産を譲渡するために直接支出する仲介手数料，契約書に貼付した印紙代，測量費，譲渡のために借家人を立ち退かせる場合の立退料，譲渡のために建物を取り壊した場合の取壊費用等があります。

2. 固定資産の交換の特例

(1) 内　　　容

　固定資産同士を交換した場合，次の(2)の適用要件を満たせばその譲渡はなかったものとみなされ，交換時に所得税がかかりません。

　ただし，交換により譲渡する資産（以下，「交換譲渡資産」という）の時価が，交換により取得する資産（以下，「交換取得資産」という）の時価より高い場合に

おいて，交換差金等を受け取ったときは，その交換差金等については交換時に所得税がかかります。

(2) 適用要件

① 交換譲渡資産を1年以上所有していた。

② 交換取得資産は，相手方が1年以上所有していたものであり，かつ，相手方が交換のために取得したものではない。

③ 交換譲渡資産と交換取得資産が，次の5区分において同一区分の資産である。

(イ) 土地，一定の借地権および耕作権

(ロ) 建物（これに付属する設備および構築物を含む）

(ハ) 機械および装置

(ニ) 船　　舶

(ホ) 鉱業権（租鉱権，採石権等を含む）

④ 交換取得資産を，交換譲渡資産の譲渡直前の用途と同一の用途に供する。

⑤ 交換時における交換取得資産の時価と交換譲渡資産の時価との差額が，これらのうちいずれか高い方の価額の20％以下である。

(3) 申告手続き

この特例の適用を受ける場合には，確定申告書に特例適用条文を記載するとともに，譲渡所得の計算の明細書を添付しなければなりません。

(4) 課税の繰延べ

この特例の適用を受けた場合には，交換取得資産の取得時期は，交換をした日ではなく，交換譲渡資産の取得時期をそのまま引き継ぐこととなります。

また，交換取得資産の取得価額は，基本的には，交換譲渡資産の取得費と譲渡費用の合計額となります。

この結果，この特例の適用を受けなかったならば交換時に課された所得税が，交換の日より後に交換取得資産を譲渡，相続，遺贈または贈与するまで繰り延べられることとなります。

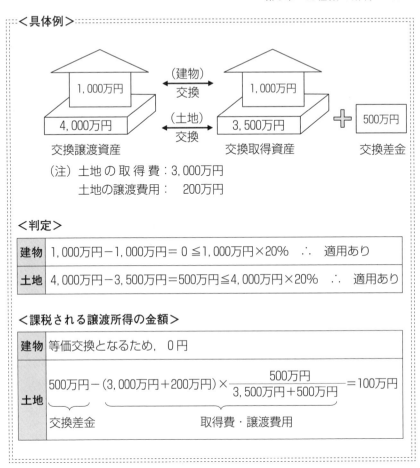

＜具体例＞

（建物）交換

1,000万円　　1,000万円

（土地）交換

4,000万円　　3,500万円　　＋　　500万円

交換譲渡資産　　交換取得資産　　交換差金

（注）土地の取得費：3,000万円
　　　土地の譲渡費用：　200万円

＜判定＞

建物	1,000万円－1,000万円＝0 ≦1,000万円×20%　∴　適用あり
土地	4,000万円－3,500万円＝500万円≦4,000万円×20%　∴　適用あり

＜課税される譲渡所得の金額＞

建物	等価交換となるため，0円
土地	$500万円－(3,000万円＋200万円)\times\dfrac{500万円}{3,500万円＋500万円}＝100万円$ 　　交換差金　　　　　　取得費・譲渡費用

3. 収用等の特例

⑴　内　　容

　資産を収用等により譲渡した場合において，一定の要件を満たすときは，次の⑵または⑶の特例のいずれかを選択適用することができます。このほか，長期譲渡所得であれば⑷，短期譲渡所得であれば⑸の特例の適用を受けることができる場合もあります。

(2) 5,000万円の特別控除

　資産を収用交換等により譲渡した場合において，次のすべての要件を満たすときは，短期や長期に関係なく，課税される譲渡所得の金額を計算するにあたり，譲渡益を限度として5,000万円を控除します。

① その年中に収用交換等された資産の全部について，次の(3)の特例の適用を受けない。

② 収用等された資産につき，公共事業の施行者から最初に買取り等の申し出を受けた日から6か月以内に譲渡した。

③ 一の収用交換等に係る事業につき2年以上の年に分けて資産の譲渡を行うのであれば，最初の年に譲渡した資産である。

④ 公共事業の施行者から最初に買取り等の申し出を受けた者が譲渡したものである。

(3) 収用等の場合の課税の繰延べの特例

　個人が有する資産（棚卸資産その他一定のものを除く）を収用等により譲渡し，交付される補償金等で代替資産を取得した場合には，その資産の譲渡はなかったものとされ，譲渡時に所得税はかかりません。

　ただし，その補償金等の額が代替資産の取得価額を超えるときは，その超える部分の金額について所得税が課されます。

　また，個人が有する資産を収用等により他の資産と交換した場合には，交換時に資産のみを取得したのであればその交換による資産の譲渡はなかったものとされ，交換時に交換取得資産とともに補償金等を取得したのであれば，その補償金等に対応する部分の譲渡があったものとして所得税が課されます。

　なお，代替資産を取得した場合や補償金の代わりに譲渡した資産と同種の資産の交付を受けた場合には，収用等により譲渡した資産の取得費および取得時期がそのまま代替資産に引き継がれることとなります。

(4) 優良住宅地の造成等のために土地等を譲渡した場合

　譲渡した年の1月1日における所有期間が5年を超える土地等を令和7年12月31日までに収用交換等により譲渡した場合，分離課税の長期譲渡所得につい

て復興特別所得税が課されるため，2,000万円以下の部分に対する税率は14.21％（所得税10.21％・住民税4％），2,000万円超の部分に対する税率は20.315％（所得税15.315％・住民税5％）となります。

この特例は，上記(2)および(3)の特例と重複して適用を受けることはできません。

(5)　短期譲渡所得の税率の特例

譲渡した年の1月1日における所有期間が5年以下の土地等（土地または土地の上に存する権利）を収用交換等により譲渡した場合，分離課税の短期譲渡所得に対する税率は，平成25年から令和19年まで復興特別所得税が課されるため，20.315％（所得税15.315％・住民税5％）となります。

(6)　申告手続き

上記(2)～(5)の特例の適用を受ける場合には，確定申告書に特例適用条文を記載するとともに，譲渡所得の計算の明細書，収用等の証明書，さらに(3)の場合には代替資産の登記事項証明書等を添付しなければなりません。

4．居住用財産を譲渡した場合の課税の特例

(1)　3,000万円の特別控除

①　内　　容

次のいずれかの家屋等を譲渡した場合には，短期や長期に関係なく，課税される譲渡所得の金額を計算するにあたり，譲渡益を限度として3,000万円を控除します。

(イ)　現に自分が住んでいる家屋

(ロ)　自分が住んでいた家屋で，自分が住まなくなってから3年を経過する日の属する年の12月31日までに譲渡したもの

(ハ)　(イ)または(ロ)の家屋の敷地（その土地の上に存する権利を含む）でその家屋とともに譲渡したもの等

②　適用を受けることができない場合

次の場合には，この特例の適用を受けることができません。

(ｲ)　配偶者や親族などに譲渡した場合

(ﾛ)　前年または前々年にすでにこの特例その他一定の特例の適用を受けている場合

(ﾊ)　「固定資産の交換の特例」,「収用等の特例（5,000万円の特別控除,収用等の場合の課税の繰延べの特例）」,「特定の事業用資産の買換えの特例」その他一定の特例の適用を受ける場合

　　(注)　令和2年の税制改正により令和2年4月1日以後に譲渡する場合,住宅ローン控除を併用して適用できなくなりました。

③　申告手続き

　この特例の適用を受ける場合には,確定申告書に特例適用条文を記載するとともに,譲渡所得の計算の明細書等を添付しなければなりません。

(2)　長期譲渡所得の税率の特例

①　内　　容

　譲渡した年の1月1日における所有期間が10年を超える居住用の土地建物等(注)を譲渡した場合,分離課税の長期譲渡所得について,平成25年から令和19年まで復興特別所得税が課されるため,6,000万円以下の部分に対する税率は14.21%（所得税10.21%・住民税4%）,6,000万円超の部分に対する税率は20.315%（所得税15.315%・住民税5%）となります。

　この特例は,上記(1)や「収用等の特例（5,000万円の特別控除）」と併用して適用を受けることが可能です。

　(注)　原則として上記(1)①(ｲ)～(ﾊ)の要件に該当するものに限ります。

②　適用を受けることができない場合

　次の場合には,この特例の適用を受けることができません。

(ｲ)　配偶者や親族などに譲渡した場合

(ﾛ)　前年または前々年にすでにこの特例の適用を受けている場合

(ﾊ)　「固定資産の交換の特例」,「収用等の特例（収用等の場合の課税の繰延べの特例）」,「特定の事業用資産の買換えの特例」その他一定の特例の適用を受ける場合

③ 申告手続き

この特例の適用を受ける場合には，確定申告書に特例適用条文を記載するとともに，譲渡した土地建物等の登記事項証明書等を添付しなければなりません。

<具体例>

① 収 入 金 額： 10億円

② 取 得 費： 8億5,000万円

③ 譲 渡 費 用： 2,000万円

④ 取 得 し た 日： 平成5年10月1日

⑤ 譲 渡 し た 日： 令和6年3月31日

<課税される長期譲渡所得の金額>

10億円 −（8億5,000万円＋2,000万円）−3,000万円 ＝ 1億円

<所得税および住民税額>

4,000万円	×20.315%	＝ 812.6万円
6,000万円	×14.21%	＝ 852.6万円
		1,665.2万円

(3) 特定の居住用財産の買換えの特例

譲渡の年の1月1日における所有期間が10年を超え，かつ，10年以上住んでいる居住用財産を令和7年12月31日までに，譲渡対価1億円以下で譲渡し，譲渡した年の前年1月1日からその譲渡した年の翌年中に，居住部分の床面積が50㎡以上である家屋またはその家屋の敷地で面積が500㎡以下である土地等を取得し，自己の居住の用に供した場合は，譲渡資産の譲渡はなかったものとされ，買換え時には所得税がかかりません。

ただし，譲渡資産の譲渡価額が買換資産の取得価額を超えるときは，その超える部分については譲渡があったものとされ，買換え時に所得税が課税されま

す。

5．低未利用土地等を譲渡した場合の長期譲渡所得の特別控除の特例

(1)　内　　容

　個人が都市計画区域内にある低未利用土地等を譲渡した場合には，その生じた長期譲渡所得の金額から100万円を控除 (注) することができます。

　(注)　譲渡所得の金額が100万円に満たない場合には，当該譲渡所得の金額を控除。

(2)　適 用 要 件

① 　令和 2 年7月1日～令和 7 年12月31日の間に譲渡。

② 　譲渡の年の1月1日における所有期間が 5 年を超える。

③ 　譲渡対価の額が500万円以下であること（低未利用土地等の上にある建物等の対価を含む）。

④ 　低未利用土地等であることおよび譲渡後の低未利用土地等の利用について市区町村の長の確認がされていること。

⑤ 　配偶者や親族などに対する譲渡ではないこと。

⑥ 　適用を受けようとする低未利用土地等と一筆の土地から分筆された土地等について，その年の前年または前々年にこの制度の適用を受けていないこと。

(3)　申告の手続き

　特例の適用を受ける場合には，申告の際に確定申告書に特例適用条文を記載するとともに適用を受けようとする低未利用土地等の譲渡の後の利用に関する書類等を添付しなければなりません。

6．特定居住用財産の譲渡損失の損益通算および繰越控除の特例

(1)　内　　容

　まだ住宅借入金等の返済が済んでいない特定の居住用財産を譲渡した場合に生じた譲渡損失については，ローン残高から譲渡対価を控除した金額を限度として，土地建物等の譲渡による所得だけでなく，それ以外の所得とも損益通算

することができます。

　さらに，損益通算してもなお譲渡損失の金額がある場合には，その損失の金額を翌年以後3年間にわたって繰り越し，翌年以後の所得と相殺することができます。

(2)　適 用 要 件

① 　平成16年1月1日以後に譲渡。

② 　譲渡の年の1月1日における所有期間が5年を超える。

③ 　譲渡に係る契約を締結した日の前日において，譲渡資産に係る住宅借入金等の残高がある。

④ 　譲渡した年の前年または前々年に，「居住用財産を譲渡した場合の課税の特例」の適用を受けていない。

　(イ) 　譲渡した年またはその前年以前3年内に「居住用財産の買換え等の場合の譲渡損失の損益通算の特例」の適用を受けていない。

　(ロ) 　繰越控除については，この特例の適用を受けようとする年分の合計所得金額が3,000万円以下である。

(3)　対象となる譲渡損失の金額

　損益通算および繰越控除の金額の対象となる譲渡損失の金額は，当該譲渡資産に係る一定の住宅借入金の金額から譲渡対価の額を控除した残額が限度となります。

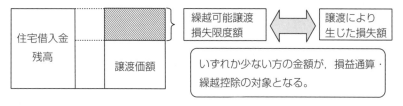

┌───┐

＜具体例＞

(1) **前 提 条 件**

① 住宅の譲渡価額 　　　　　　　　　　　　3,000万円

② 住宅の取得費（減価償却後）＋譲渡費用 　　6,000万円

③ 住宅借入金残高 　　　　　　　　　　　　5,000万円

(2) **損益通算および譲渡損失の対象となる譲渡損失の金額**

① 住宅の譲渡損失の計算

6,000万円－3,000万円＝3,000万円

② 住宅借入金のうち譲渡価額を超える金額

5,000万円－3,000万円＝2,000万円

③ 損益通算および繰越控除の対象となる譲渡損失の金額

いずれか少ない方の金額

① 3,000万円 ＞ ② 2,000万円 ∴ 2,000万円

└───┘

(4) **申告手続き**

　この特例の適用を受ける場合には，申告の際に次の手続きが必要となります。

① **損益通算の特例を受ける場合**

　確定申告書に特例適用条文を記載するとともに，譲渡損失の金額の計算に関する明細書，土地建物等の登記事項証明書および住宅借入金等の残高証明書等を添付しなければなりません。

② **繰越控除の特例を受ける場合**

　損益通算の特例を受けた年分の確定申告書を期限内に提出しており，かつ，その後連続して毎年確定申告書を提出していることが条件であり，そのうえで，繰越控除の特例を受ける年分の確定申告書に控除を受ける金額の計算の明細書等を添付しなければなりません。

7．居住用財産の買換え等の場合の譲渡損失の損益通算および繰越控除の特例

(1)　内　　　容

　住宅借入金等で居住用財産の買換えをした場合に生じた譲渡損失の金額については，土地建物等の譲渡による所得だけでなく，それ以外の所得とも損益通算することができます。

　さらに，損益通算してもなお譲渡損失の金額がある場合には，その損失の金額（面積が500㎡を超える部分に相当する金額を除く）を翌年以後3年間にわたって繰り越し，翌年以後の所得と相殺することができます。

(2)　適 用 要 件

①　平成16年1月1日以後に譲渡。

②　譲渡の年の1月1日における所有期間が5年を超える。

③　譲渡した年の前年1月1日から翌年12月31日までの間に買換資産を取得。

④　買換資産を取得した年の12月31日において，買換資産に係る住宅借入金等の残高がある。

⑤　取得した年の翌年12月31日までの間に居住の用に供する，または供する見込みである。

⑥　譲渡した年の前年または前々年に，「居住用財産を譲渡した場合の課税の特例」の適用を受けていない。

⑦　譲渡した年またはその前年以前3年内に「特定居住用財産の譲渡損失の損益通算の特例」の適用を受けていない。

⑧　買換資産は，居住用部分の床面積が50㎡以上である。

⑨　繰越控除については，この特例を受けようとする年分の合計所得金額が3,000万円以下であり，かつ，その受けようとする年の年末において買換資産に係る住宅借入金等の残高がある。

(3)　申告手続き

　特例の適用を受ける場合には，申告の際に次の手続きが必要となります。

86

① 損益通算の特例を受ける場合

　確定申告書に特例適用条文を記載するとともに，譲渡損失の金額の計算に関する明細書，売却した土地建物等の登記事項証明書等および買い換えた土地建物等の登記事項証明書等，住宅借入金等の残高証明書等を添付しなければなりません。

② 繰越控除の特例を受ける場合

　損益通算の特例を受けた年分の確定申告書を期限内に提出し，かつ，その後連続して毎年確定申告書を提出しており，さらに，繰越控除の特例を受ける年分の確定申告書に控除を受ける年の12月31日における買換資産に係る住宅借入金等の残高証明書および控除を受ける金額の計算の明細書等を添付しなければなりません。

令和6年に自宅を買い換え，損失が生じた場合の具体例

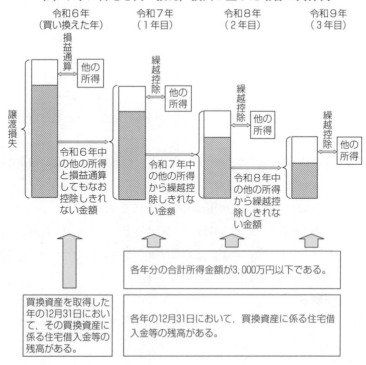

8．特定の事業用資産の買換えの場合の特例

(1)　内　　　容

事業の用に供している特定の地域内にある土地建物等（以下，「譲渡資産」という）を譲渡し，一定期間内に特定の地域内にある土地等の特定の資産（以下，「買換資産」という）を取得した場合において，その取得の日から1年以内にその買換資産を事業の用に供したときは，原則，譲渡益の20％部分に対してのみ所得税が課税され，残りの80％部分（長期保有資産の買換え（3号買換え）では，一定のものについては，90％または60％部分）については課税が繰り延べられることとなります。

ただし，買換資産が土地等である場合は，譲渡資産の面積の原則として5倍を超える部分の面積に対応する部分については，買換資産に該当しないこととされ，この特例は適用されません。

(2)　適 用 要 件

①　令和8年12月31日までに譲渡。

　　ただし，3号買換えでは令和8年3月31日までに譲渡。

②　以下の買換えに該当する。

　(イ)　譲渡した年の1月1日における所有期間が10年を超える国内にある土地等，建物または構築物から，国内にある土地等（以下の㋑，㋺の要件を満たすもの），建物，構築物への買換え（3号買換え）

　　　㋑　事務所等一定の施設の敷地の用に供されるもの

　　　㋺　面積が300㎡以上のもの

　(ロ)　その他一定の買換え

(3)　申告手続き

この特例の適用を受ける場合には，確定申告書に特例適用条文を記載するとともに，譲渡所得の計算の明細書，買換資産の登記事項証明書等，譲渡資産および買換資産が特定の地域内にあることの証明書等を添付しなければなりません。

9. 特定の土地等の長期譲渡所得の1,000万円特別控除

個人が，平成21年1月1日から平成22年12月31日までの間に取得（特別の関係がある者からの取得や相続，遺贈，贈与および交換等による取得は除く）をした国内にある土地等で，その年1月1日において所有期間が5年を超えるものの譲渡をした場合には，その年中の譲渡に係る所得の金額から1,000万円（当該所得の金額が1,000万円に満たない場合には，当該所得の金額）を控除します。

なお，居住用財産を譲渡した場合の3,000万円の特別控除等，一定の特例の適用を受ける場合には，この特別控除の適用を受けることができません。

10. 平成21年および平成22年に土地等の先行取得をした場合の特例

不動産所得，事業所得または山林所得を生ずべき業務を行う個人が，平成21年1月1日から平成22年12月31日までの間に，国内にある土地等（棚卸資産その他一定のものを除く）の取得をし，その取得をした日の属する年の12月31日後10年以内に別の土地等を譲渡し，譲渡益が発生した場合には，その譲渡益の80％相当額（平成21年中に取得した場合）または60％相当額（平成22年中に取得した場合）を譲渡益から減額します。

譲渡益の減額は，平成21年および平成22年に国内において取得した土地等の取得価額を限度とします。

なお，特別の関係がある者からの取得や相続，遺贈，贈与および交換，所有権移転外リース取引等による取得の場合には，この特例の適用を受けることができません。

11. 空き家に係る譲渡所得の3,000万円の特別控除の特例
(1) 内　　容

被相続人（1人暮らしであった）の居住用不動産を，相続または遺贈等により取得した個人が，以下(2)の適用要件等を満たし譲渡した場合，「居住用財産の譲渡所得の3,000万円特別控除」が適用可能となります。なお，相続財産に係

る譲渡所得の課税の特例（取得費加算の特例）や収用等の場合の特別控除などとの併用はできません。

(2)　適用要件等

①　平成28年4月1日から令和9年12月31日までの間に譲渡。

②　相続開始以後3年を経過する日の属する年の12月31日までに譲渡。

③　相続開始直前に被相続人の居住用である。

④　被相続人以外に居住していた者がいない。

⑤　昭和56年5月31日以前に建築された家屋である。

⑥　区分所有の建物でない。

⑦　譲渡価額が1億円以下である。

⑧　次のいずれかの譲渡である。

(イ)　被相続人の居住用家屋または居住用家屋およびその敷地の譲渡の場合

　　①　相続時から譲渡時まで，事業の用，貸付の用，または居住の用に供されていたことがない。

　　ロ　譲渡時において地震に対する安全性に係る規定またはこれに準ずる基準に適合するもの。

(ロ)　被相続人の居住用家屋を除却後，その敷地の譲渡の場合

　　家屋，敷地ともに相続開始時から譲渡時まで，事業の用，貸付の用，居住の用，または建物・構築物の敷地の用に供されていたことがない。

(ハ)　令和6年1月1日以降に被相続人の居住用家屋または居住用家屋およびその敷地の譲渡した場合で，次の①およびロの要件に当てはまる場合

　　①　相続時から譲渡時まで，事業の用，貸付の用，または居住の用に供されていたことがない。

　　ロ　譲渡時から譲渡の日の属する年の翌年2月15日までの間に，地震に対する安全性に係る規定またはこれに準ずる基準に適合することとなったもの，または被相続人の居住用家屋の除却を行ったもの。

⑨　確定申告書に，地方公共団体等が対象となる不動産の「対象となる譲渡，⑧(イ)，(ロ)または(ハ)」の要件を満たすことを確認した旨を証する書類を

添付する。

12. 上場株式等に係る特例制度

(1) 譲渡損失の3年間繰越控除制度

　上場株式等（上場株式，公募株式等証券投資信託の受益権等，特定公社債，公募公社債投資信託の受益権等をいう）を金融商品取引業者等を通じて売却したことにより生じた損失の金額のうち，その年に生じた株式売却益と相殺してもなお損失が残るときは，確定申告により翌年以降3年間繰り越して翌年以降生じた上場株式等の売却益と相殺することができます。

(2) 特定口座制度

　特定口座制度とは，申告分離課税一本化に伴い，個人投資家の株式譲渡所得計算および申告手続きを簡素化するために設けられた制度です。平成15年1月1日以降，特定口座を通じて行われた上場株式等の取引に関しては，金融商品取引業者等が取得日，取得費，売却損益等を管理，計算し，取引内容を記載した年間取引報告書を個人投資家に送付するので，簡易な確定申告をすることができます。

　また，特定口座内における上場株式等の売却益については，源泉徴収ありを選択することもできます。源泉徴収ありを選択すると，金融商品取引業者等により所得税が源泉徴収され，原則として確定申告を行わなくてもよいことになっています。

(3) 譲渡損失と上場株式等の配当所得等の損益通算

　平成28年1月1日以後，その年分の上場株式等を金融商品取引業者等を通じて売却したことにより生じた損失および前年以前3年内の各年に生じた上場株式等の繰越譲渡損失は，「申告分離課税」を選択した上場株式等の配当所得等（配当所得，利子所得）から控除することができます。

13.　エンジェル税制

(1)　エンジェル税制とは

　エンジェル税制とは，一定のベンチャー企業の株式を金銭の払込みにより取得した個人が，一定の要件を満たす場合には当該株式の取得および譲渡等をする際に，さまざまな優遇措置を受けることができる制度です。

(2)　特定株式の取得時における優遇措置

①　株式譲渡益から控除

　　特定中小会社の発行した株式（以下「特定株式」という）を払込みにより取得した場合には，その取得価額相当額を，同一年分の一般株式等（未上場株式，一般公社債等の上場株式等以外の株式等をいう）の譲渡益から控除することができます。なお，控除しきれない場合には，その年の上場株式等の譲渡益から控除することができます。特別控除をした場合には，当該特定株式の取得費から当該特別控除額を減額します。

②　寄附金控除適用による総所得金額等から控除

　　一定要件を満たす特定中小会社の発行した株式（以下「特定新規株式」という）を払込みにより取得した場合には，その取得価額相当額（1,000万円を限度）について寄附金控除（142ページ参照）を適用することができます。

　　なお，この寄附金控除の適用を受けて総所得金額等から控除した金額は，特定新規株式の取得価額から控除します。

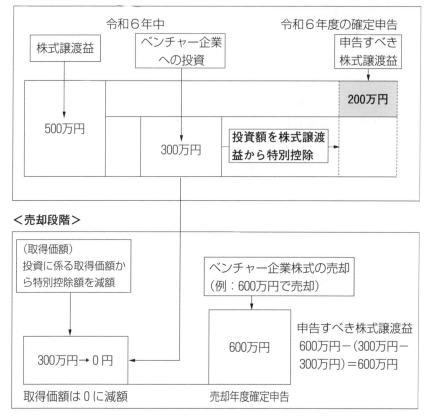

＜投資段階＞

令和6年中　　　　　　　　令和6年度の確定申告

株式譲渡益　　ベンチャー企業への投資　　申告すべき株式譲渡益

200万円

500万円　　　300万円　　投資額を株式譲渡益から特別控除

＜売却段階＞

（取得価額）投資に係る取得価額から特別控除額を減額

ベンチャー企業株式の売却（例：600万円で売却）

300万円→0円　　600万円　　申告すべき株式譲渡益 600万円－（300万円－300万円）＝600万円

取得価額は0に減額　　売却年度確定申告

　なお，①および②のいずれの要件も満たす場合には選択適用が可能となります。

　令和5年4月1日以降のベンチャー企業への投資については，特別控除額が20億円以下でその他一定の場合，ベンチャー企業株式の売却段階で特別控除額を取得価額から減額しないこととなりました。

(3)　特定株式に係る譲渡損失の繰越控除の特例

　株式に係る譲渡損失については，上場株式等の譲渡損失を除き繰越控除の適用はできないこととされています。

しかし，エンジェル税制では特定株式を払込みにより取得した居住者が，その取得の日から上場等の日の前日までの間に特定株式を譲渡したことにより生じた損失の金額（下記(4)の金額を含む）のうち，その譲渡をした日の属する年分の株式等に係る譲渡所得等の金額の計算上控除しきれない金額を有するときは，その損失の金額をその損失が生じた年の翌年以後3年内に生じた一般株式等および上場株式等の譲渡益から控除することができます。

(4)　価値喪失株式にかかる損失の金額の特例

株式の発行会社の倒産等による株式の価値喪失による損失については，原則として所得の計算上一切考慮されないこととされています。しかし，エンジェル税制では払込みにより取得した特定株式について次に掲げる事実が生じた場合には，その価値喪失による損失を上記控除の対象となる譲渡損失として扱うことができます。

① 　特定株式を発行した株式会社が解散し，その清算が結了したとき
② 　特定株式を発行した株式会社が破産法の規定による破産宣告を受けたとき

14.　特定中小会社が設立の際に発行した株式の取得に要した金額の控除等の特例（スタートアップ支援）

保有株式の譲渡益を元手に創業者が創業した場合について，エンジェル税制と同様の株式譲渡益に課税しない優遇措置を受けることができる制度です。

エンジェル税制とは異なり，自ら起業する場合が対象で，エンジェル税制との選択適用となります。

15.　国外転出時課税制度

国外転出時課税制度は，国外転出日前10年以内に5年超国内に住所等を有し，かつ，時価1億円以上の有価証券等を有する居住者（以下，「対象者」という）が，①出国した場合，②海外に居住する人に有価証券等を贈与した場合，③海外に居住する人に有価証券等を相続させる場合に，有価証券等の含み益に

対して所得税が課される制度であり，平成27年7月1日以降の出国・贈与・相続から適用されます。

(1) 対象者が出国した場合

対象者が平成27年7月1日以降に出国する場合，出国日に時価で有価証券等を売却したものとみなして，有価証券等の含み益に対して所得税が課税されます。

(2) 非居住者へ有価証券等を贈与した場合

対象者が平成27年7月1日以降に非居住者に対して有価証券等を贈与した場合，贈与時に時価で有価証券等を売却したものとみなして，有価証券等の含み益に対して所得税が課税されます。

(3) 非居住者が有価証券等を相続等した場合

対象者が平成27年7月1日以降に亡くなり，非居住者が有価証券等を相続等により取得する場合，被相続人が相続時に時価で有価証券等を売却したものとみなして，有価証券等の含み益に対して所得税（準確定申告）が課税されます。

なお，その所得税の額は当該対象者の死亡に係る相続税の計算上，その負担した相続人等の債務として控除対象になります。

(4) 納税猶予制度

出国時までに「納税管理人の届出書」を提出し，一定の要件を満たす場合には，5年間（申請を行えば最長10年間）納税が猶予されます。

(5) 国外転出時課税を取り消せるケース

次のいずれかに該当する場合には，更正の請求により国外転出時課税制度による課税を取り消すことができます。

① 5年以内に，有価証券等を売却等せずに帰国した場合

② 5年以内に，日本の居住者に対して有価証券等を贈与した場合

③ 5年以内に国外転出時課税の適用を受けた本人が亡くなり，その有価証券等を相続等した人がすべて日本の居住者となった場合

第7節　一 時 所 得

1．一時所得の範囲

　一時所得とは，利子所得・配当所得・不動産所得・事業所得・給与所得・退職所得・山林所得・譲渡所得以外の所得で原則として次の要件を満たすものをいいます。

① 一時的な所得であること

② 働いたことにより得た所得でないこと

③ 資産の売却により得た所得ではないこと

④ 営利を目的とする継続的な行為から生じたものでないこと

一時所得となるもの	留 意 点
① 懸賞・クイズの賞金や賞品	個人事業者が業務を通じて得るものは事業所得となる。
② 競馬の馬券・競輪の車券の払戻金	馬主等が競走馬を保有することにより得る所得は事業所得または雑所得となる。 競馬の馬券の払戻金に係る所得で，営利を目的とする継続的行為から生じたものは雑所得となる。
③ 法人からの贈与により取得する金品	贈与税は課税されず，所得税が課税されることとなる。
④ 遺失物を拾った人がお礼としてもらう謝礼金	———
⑤ 借家人が立退きにあたってもらう立退き料	商売を行っている借家人が，立退きによる売上補填などの名目でもらうものは，事業所得等となる。
⑥ 生命保険の満期保険金	年金形式で受け取るものは雑所得となる。
⑦ 長期損害保険の満期返戻金	———

2．一時所得の金額

以下の算式により計算します。

(注) 特別控除額として控除できる金額は「総収入金額−費用」と50万円を比較していずれか少ない金額となります。

> 一時所得 ＝ 総収入 − その収入を得るために − 特別控除額
> の金額　　　金額　　　直接かかった費用　　　（最高50万円）

3．一時所得に対する課税

(1)　総 合 課 税

一時所得は，給与所得，事業所得など他の所得と合算されて確定申告により所得税額を計算します。なお合計する金額は上記 2．により計算した一時所得の金額の 2 分の 1 に相当する金額となります。

(2)　金融類似商品に係る課税―源泉分離課税

本来一時所得としての性質をもつ保険の満期金や解約返戻金であっても，一時払い養老保険のうち次の要件に該当するものは金融類似商品として，その所得（保険金受取金額−払込保険料の総額）に対して利子所得と同じ20.315％（所得税15.315％・住民税 5 ％）の源泉分離課税とされています。

① 保険料を一時に支払う生命保険契約または損害保険契約のうち，保険期間が，5 年以内のもの

② 保険期間が 5 年超であっても解約した時点では保険期間の開始から 5 年以内であるもの

(3)　他の所得との関係

一時所得の赤字は他の所得から差し引くことはできません。一時所得の損失はいわゆる損益通算ができない損失となっています。

第8節　雑　所　得

1．雑所得の範囲

　雑所得とは，利子所得・配当所得・不動産所得・事業所得・給与所得・譲渡所得・一時所得・山林所得・退職所得のいずれにも該当しない所得をいいます。

雑所得となるもの	留　意　点
①　国民年金・厚生年金等	遺族が受ける年金は非課税となる。
②　割引債の償還差益	償還時に20.315％（所得税15.315％・住民税5％）が源泉徴収のうえ，申告分離課税となる。
③　国税や地方税の還付加算金	還付金自体は払いすぎた金額が戻ってきただけであるため課税関係なし。
④　生命保険年金・損害保険年金	一時金で受け取ったものは一時所得となる。
⑤　原稿料・講演料	作家や評論家を職業としている者が受けるものは事業所得となる。
⑥　金銭の貸付けによる利息部分のもうけ	金融業者が得るもうけは事業所得となる。
⑦　動産の貸付けによるもうけ	不動産の貸付けによるもうけは不動産所得等となる。
⑧　保有期間5年以内の山林の伐採または譲渡による所得で事業として行っていないもの	保有期間5年超の山林の伐採または譲渡は山林所得となる。
⑨　有料駐車場で管理人を置くなど，自己の責任において他人のものを保管する場合の所得で事業として行っていないもの	規模により事業所得にもなる。また，青空駐車場のように管理が及ばないものについては不動産所得となる。

2．雑所得の金額

雑所得の金額は公的年金等に係る雑所得とそれ以外の雑所得の合計により計算します。

(1)　公的年金等の雑所得

公的年金等の雑所得の金額＝公的年金等の収入金額－公的年金等控除額

	公的年金等の収入金額（A）		公的年金等控除額		
			「公的年金等に係る雑所得」以外の所得に係る合計所得金額		
			1,000万円以下	1,000万円超 2,000万円以下	2,000万円超
65歳未満		130万円未満	60万円	50万円	40万円
	130万円以上	410万円未満	(A)×25％＋27.5万円	(A)×25％＋17.5万円	(A)×25％＋7.5万円
	410万円以上	770万円未満	(A)×15％＋68.5万円	(A)×15％＋58.5万円	(A)×15％＋48.5万円
	770万円以上	1,000万円未満	(A)×5％＋145.5万円	(A)×5％＋135.5万円	(A)×5％＋125.5万円
	1,000万円以上		195.5万円	185.5万円	175.5万円
65歳以上		330万円未満	110万円	100万円	90万円
	330万円以上	410万円未満	(A)×25％＋27.5万円	(A)×25％＋17.5万円	(A)×25％＋7.5万円
	410万円以上	770万円未満	(A)×15％＋68.5万円	(A)×15％＋58.5万円	(A)×15％＋48.5万円
	770万円以上	1,000万円未満	(A)×5％＋145.5万円	(A)×5％＋135.5万円	(A)×5％＋125.5万円
	1,000万円以上		195.5万円	185.5万円	175.5万円

(2)　公的年金等以外の雑所得

公的年金等以外の雑所得の金額＝総収入金額－必要経費

3．雑所得に対する課税

(1)　総合課税

雑所得は給与所得，事業所得等他の総合課税の所得と合算したうえで所得税額を算出します。なお，公的年金等の収入金額が400万円以下で，かつ当該年金以外の他の所得の金額が20万円以下の場合には，原則としてすべての公的年金等が源泉徴収の対象になっていれば，確定申告が不要となります。

(2)　金融類似商品─源泉分離課税

定期積金の給付補填金，抵当証券の利息はその性質がほとんど利子所得と同様であることから金融類似商品として，20.315％（所得税15.315％・住民税5％）

の源泉徴収で課税関係は終了します。

(3)　割引債―申告分離課税

割引債の償還差益は，償還時に20.315％（所得税15.315％・住民税5％）を源泉徴収のうえ，申告分離課税となります。

ただし，平成27年以前に発行されたものは，発行時に18.378％（所得税のみ）が源泉徴収で課税関係が終了する源泉分離課税とされており，償還時の課税はありません。

(4)　他の所得との関係

雑所得の赤字は他の所得から差し引くことはできません。雑所得の損失はいわゆる損益通算ができない損失となっています。

4．相続等により取得した年金受給権に係る生命保険契約等に基づく年金の課税関係

相続，遺贈または贈与により取得した年金受給権に係る生命保険契約等に基づく年金については，課税部分と非課税部分に振り分けたうえで，雑所得の計算をします。

(1)　対象となる年金

①から③のいずれかに該当する方で，保険料の負担者でない方が受け取る年金をいいます。

① 死亡保険金を年金形式で受給している方

② 学資保険の保険契約者がお亡くなりになったことに伴い，養育年金を受給している方

③ 個人年金保険契約に基づく年金を受給している方

(2)　計 算 方 法

年金収入額は，支払いを受けた年金について，年金支給初年は全額非課税とし，2年目以降は課税部分が階段状に増加していく方法により計算します。

また，雑所得の金額は課税部分の年金収入額から対応する保険料または掛金の額を控除して計算します。

(参考) 課税・非課税部分の振り分け

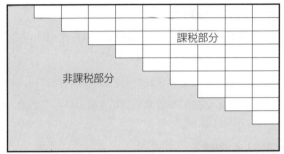

支払期間	初年	2年目	3年目	4年目	5年目	6年目	7年目	8年目	9年目	10年目
経過年数		1年	2年	3年	4年	5年	6年	7年	8年	9年

第9節　山 林 所 得

1．山林所得の範囲

山林所得とは,

①　山林を伐採して譲渡したことにより生じた所得

②　山林を伐採しないで譲渡したことにより生じた所得

をいいます。

(注1)　上記②の場合において山林所得に含まれるのは「木の部分」の譲渡による所得をいい,「木の部分」と共に譲渡した「土地部分」の譲渡による所得は譲渡所得に含まれます。

(注2)　山林を取得の日から5年以内に譲渡したことによる所得は山林所得とならずに,事業所得または雑所得となります。これは,そもそも山林所得が,長い間かけて育てた木々についての課税については税負担を減らそうという趣旨から成り立っていることによります。

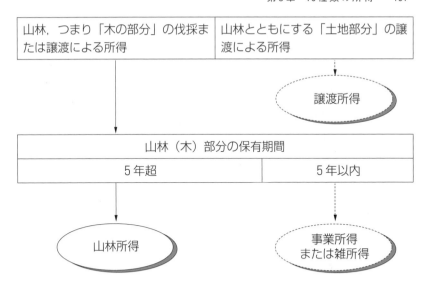

2．山林所得の金額

山林所得は，以下の算式により計算します。

山林所得 の金額 ＝ 総収入金額 － 必要経費 － 特別控除額 （最高50万円）

(注)　特別控除額は「総収入金額－必要経費」の金額を限度とします。つまり「総収入金額－必要経費」の金額と50万円を比較していずれか少ない金額が特別控除額となります。

3．山林所得に対する課税

① 　山林所得は，他の所得と合算することなく分離して課税されるいわゆる分離課税です。

② 　山林所得の計算上生じた赤字の金額は，他の所得と損益通算することができます。

第10節　退職所得

1．退職所得の範囲

　退職所得とは，退職することを原因として一時に受ける給与・退職金・一時金またはこれらと同様の性質を有する給与から生じた所得をいいます。

2．退職所得の金額

　退職所得の金額は，以下の算式により計算します。

$$退職所得の金額＝\{収入金額（税込み）－退職所得控除額\} \times \frac{1}{2} \, {}^{(注1)}_{(注2)}$$

- **(注1)**　勤続年数が5年以下である従業員が支払いを受けるものについては，「収入金額－退職所得控除額」の残額のうち300万円を超える部分は，2分の1をする前の金額となります。
- **(注2)**　役員等としての勤続年数が5年以下である者が支払いを受けるものについては，2分の1をする前の金額となります。

(1)　退職所得の収入計上時期

　収入すべき時期は，次に示す表のとおりです。

区　　分		計　上　時　期
原　則		退職の日
役員等に支払われる退職手当金等で株主総会等の決議が必要なもの	原　則	株主総会等の決議日
	例　外	支給金額が具体的に定められた日

(2)　退職所得控除額

　退職所得控除額は勤続年数により，以下の算式により計算します。なお，退職所得控除額は収入金額が限度となります。

勤続年数	退職所得控除額
20年以下	勤続年数×40万円（最低80万円）
20年を超える場合	800万円＋70万円×（勤続年数－20年）

(注1) 障害者になったことが原因で退職した場合は，上記の金額に100万円が加算されます。

(注2) 勤続年数を計算するにあたっては，以下の留意点があります。

　　　　例えば，入社後の試用期間中については退職金計算の期間に算入しないなど，会社が独自の退職金の支給対象期間を定めていたとしても，退職所得控除額の計算上の勤続年数は実際の勤務年数を使用します。つまり，入社日から起算することとなります。

(注3) 退職所得控除額の計算をするにあたっては，以下の留意点があります。

　　　　その年の前年以前4年以内に他社から退職手当等の支払いを受けていて，かつ，その他社における勤務期間が今回の退職する会社の勤務期間と重複している場合には退職所得控除額は一定の算式により減額されます。これは退職所得控除額は長年の勤務に対する特別の優遇措置という立法趣旨があるため，その優遇措置を何度も利用することは認められないことによります。

3．退職所得に対する課税

　退職金を支払う会社等は，その退職金を支払う際に所得税の額の源泉徴収を行い，源泉徴収税額を国に納める義務があります。源泉徴収する所得税額は，退職者が会社等に「退職所得の受給に関する申告書」を提出しているかどうかにより異なる金額となります。

(1)　「退職所得の受給に関する申告書」を提出している場合

　上記2．で算出した退職所得に対して所得税額を計算し源泉徴収を行います。退職所得は給与所得，事業所得，不動産所得等他の所得とは分離して所得税の計算を行う，いわゆる分離課税方式により課税関係は終了します。したがって，原則的には確定申告をする必要はありません。

　ただし，例えば不動産所得など損益通算できる所得に赤字がある場合には，

退職所得も加えて確定申告することによりあらかじめ源泉により納付された税額の還付を受けることができます。

(2) 「退職所得の受給に関する申告書」を提出していない場合

収入金額×20.42%が源泉徴収されることになります。なお，この源泉徴収された税額は確定申告をすることにより還付を受けることができます。

『第4章』
所得の金額の総合と損益通算，損失の繰越控除

第1節　所得の金額の総合

　所得税は，その年分のすべての所得を総合して，税の負担能力を測定する構造となっているため，利子所得・配当所得・不動産所得・事業所得・給与所得・譲渡所得・一時所得・雑所得・山林所得および退職所得の各所得金額を総合して，税額計算の基となる所得金額を導き出すことになります。

　例えば，1年間に同じ所得に該当する取引が2つあり，1つが利益，1つが損失（マイナス）となる場合には，その利益と損失を相殺して所得金額を算出します（内部通算という）。この場合において，譲渡所得は総合課税の金地金等の譲渡所得，分離課税の土地等の譲渡所得，株式等の譲渡所得をそれぞれ異なる所得として取り扱い，それぞれの所得ごとに利益と損失を内部通算します。

第2節　損益通算

　損益通算とは，各種所得の中では相殺しきれず，所得金額に損失が生じているものがある場合に，特定の所得の損失についてのみ，その損失を他の所得から一定の順序に従い差し引くことをいいます。

　なお，各種所得の金額の計算上生じた損失の中には，損益通算になじまないものがあることや，所得の性質の似た種類の所得グループにおいてまず損益通算し，次いでその他の種類の所得に損益通算をしていくのが合理的であるとも

考えられますので，所得税法では，損益通算のできるものの範囲やルールを設けています。

1．損益通算できる損失とできない損失

区　　分	内　　容
損益通算できる損失	① 不動産所得（土地等の取得に係る借入金利子部分を除く） ② 事 業 所 得 ③ 譲渡所得（総合課税の譲渡による損失・居住用財産の買換え等の場合の譲渡損失・特定居住用財産の譲渡損失に限る） ④ 山 林 所 得
損益通算できない損失（所得金額がたとえマイナスになっても「0」とされるため，他の所得と通算することはできない。なお，利子所得・退職所得は，損失が生じることはないので，これらの所得の損失を他の所得と損益通算することはない）	① 配 当 所 得 ② 一 時 所 得 ③ 雑 　 所 　 得 ④ 給 与 所 得 ⑤ 個人に対する資産の低額譲渡により生じた損失 ⑥ 競走馬（事業用は除く）・別荘・書画・骨とう・貴金属等の生活に通常必要でない資産についての所得の計算上生じた損失 ⑦ 非課税所得の金額の計算上生じた損失 ⑧ 土地建物等の譲渡による分離課税の譲渡所得の金額の計算上生じた損失 ⑨ 株式等に係る譲渡所得等の金額の計算上生じた損失（ただし上場株式等の譲渡損失については，申告分離課税を選択した上場株式等の配当所得とのみ損益通算可能） ⑩ 先物取引に係る雑所得等の金額の計算上生じた損失

＜具体例＞

　賃貸用マンションを購入し，不動産所得の赤字（必要経費の中に，土地取得に係る借入金利子はない）が生じた場合

事 業 所 得	収入	6,000万円	
	経費	△2,200万円	
	差引所得		3,800万円
不動産所得	収入	400万円	
	経費　△	900万円	
	差引所得		△500万円
所 得 控 除			△300万円
課 税 所 得			3,000万円

税額　（所得税・住民税合算税率）　（控除額）
　　3,000万円×50.840％－285.4716万円＝1,239.72万円

不動産所得の赤字がなかった場合の税額
　　3,500万円×50.840％－285.4716万円＝1,493.92万円

　不動産所得の赤字500万円を他の所得と損益通算したことにより，本来支払うべき税金が254.2万円軽減されたことになります。

2．損益通算の順序

　総所得金額を構成する8つの所得（事業所得・不動産所得・利子所得・配当所得・給与所得・雑所得・譲渡所得・一時所得）を次の2つのグループに区分します。

経常所得グループ	事業所得・不動産所得・利子所得・配当所得・給与所得・雑所得
譲渡・一時所得グループ	譲渡所得・一時所得

　そして，まず，それぞれのグループ内で損益通算します。

　次にそれぞれのグループのいずれかに損失の金額が残っているときには，さらに2つのグループ間の損益の通算を行います。譲渡・一時所得グループの損

失の金額を経常所得グループの所得の金額から差し引く場合は，譲渡・一時所得グループの損失の金額をそのまま差し引きます。それに対し，経常所得グループの損失の額を譲渡・一時所得グループの所得金額から差し引く場合は，譲渡所得→一時所得の順に通算します。なお，譲渡・一時所得グループの譲渡所得の金額の中に短期譲渡所得の金額と長期譲渡所得の金額とがある場合は，まず，短期譲渡所得金額から差し引きます。

　また，総合課税の長期譲渡所得・一時所得は２分の１をする前の所得金額が損益通算の対象になります。

　それでもまだ損失の金額があるときは，山林所得の金額（特別控除後）→退職所得の金額（２分の１後）から順次差し引きます。

総　所　得		山林所得	退職所得
経常所得グループ	譲渡・一時所得グループ		
利子所得 配当所得 不動産所得 事業所得 給与所得 雑所得	譲渡所得（総合課税） 一時所得	山林所得	退職所得

第一次通算　　　第一次通算

第二次通算

第三次通算

(注)　☐で囲んだ所得は，その損失額を他の所得金額と通算できる所得を示します。

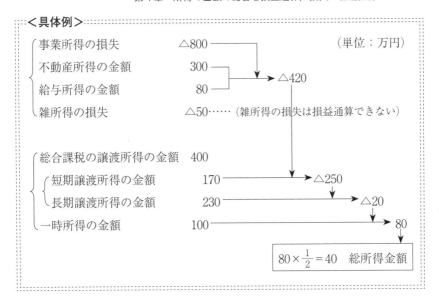

<＜具体例＞>

事業所得の損失	△800		（単位：万円）
不動産所得の金額	300		
給与所得の金額	80	△420	
雑所得の損失	△50……（雑所得の損失は損益通算できない）		

総合課税の譲渡所得の金額　400
短期譲渡所得の金額　170　　△250
長期譲渡所得の金額　230　　　△20
一時所得の金額　100　　　80

$$80 \times \frac{1}{2} = 40 \quad 総所得金額$$

第3節　不動産所得に係る損益通算の特例

1．損益通算の対象とされない損失の金額

　不動産所得の損失についての損益通算には，一部制限が設けられています。

　個人の平成4年分以後の各年分の不動産所得の金額の計算上生じた損失の金額がある場合において，その年分の不動産所得の金額の計算上必要経費に算入した金額のうち不動産所得を生ずべき業務の用に供する土地または土地の上に存する権利（以下，「土地等」という）を取得するために要した負債の利子があるときは，その損失の金額のうちその負債利子の額に相当する部分の金額は，損益通算その他所得税に関する法令の規定の適用については生じなかったものとみなされます。

　したがって，不動産所得の金額の計算上生じた損失がある場合において，必要経費のうち「土地等の取得に係る借入金の利子」があるときは，不動産所得の損失の金額であっても，その全部または一部は他の所得の黒字と「損益通

算」することはできません。ここでいう「不動産所得の金額の計算上生じた損失の金額」とは，不動産の貸付物件ごとの損失ではなく，その人の不動産所得全体の計算において生じた損失の金額をいいます。不動産所得の損失と土地借入金利子のどちらが大きいかによって，損益通算できる金額が異なります。

　例えば，土地等の取得に係る借入金利子が不動産所得の損失の額よりも大きい場合は，不動産所得の損失の金額はすべて土地借入金利子からなるものとして，全額切り捨てられます。つまり，この場合の不動産所得の金額は「0」となりますので，他の黒字の所得と「損益通算」することはできません。逆に，土地等の取得に係る借入金利子が不動産所得の損失の額より小さい場合には，「損失の額」のうち「土地等の取得に係る借入金利子の額に相当する額」が切り捨てられ，残った損失の額（不動産所得の損失の額のうち土地等の取得に係る借入金利子の額を上回る部分の金額）は，他の黒字の所得と「損益通算」することができます。

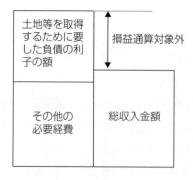
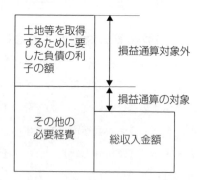

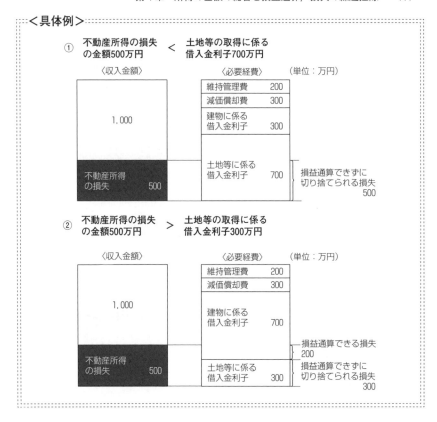

2．土地等と建物を一括して借入金で取得した場合の土地等の利子の額の計算

　個人が不動産所得を生ずべき業務の用に供する土地等を当該土地等の上に建築された建物（その附属設備を含む）とともに取得した場合（これらの資産を一の契約により同一の者から譲り受けた場合に限る）において，これらの資産を取得するために要した負債の額がこれらの資産ごとに区分されていないことその他の事情によりこれらの資産の別にその負債の額を区分することが困難であるときは，当該個人は，これらの資産を取得するために要した負債の額がまず当該建物の取得の対価の額に充てられたものとして，土地等を取得するために要した

負債の利子の額を計算することができます。つまり，納税者有利に考えます。

　しかし，このように建物から優先して充当する考え方は，取得の時だけです（2年目以降も同様）。上記以外の土地・建物に係る借入を行い返済する場合には，土地に係る借入金を優先して返済したとはみなされず，取得時の土地・建物の借入金割合により返済したとみなされます。

＜具体例＞

①	土地の取得価額	20,000,000円
②	建物の取得価額	10,000,000円
③	自己資金	12,000,000円
④	借入金の額	18,000,000円
⑤	必要経費に算入した利子の額	1,400,000円

(1)　一の契約で同一の者からの取得で借入金の区分が困難な場合

①　**土地の取得に要した借入金の額**

18,000,000円 − 10,000,000円 = 8,000,000円

②　**土地の取得に要した借入金の利子の額**

$$1,400,000円 \times \frac{8,000,000円}{18,000,000円} = 622,222円$$

③　**損益通算の対象とならない利子の額**

(イ)　不動産所得の金額の計算上生じた赤字額が500,000円の場合

500,000円　＜　622,222円　→　500,000円

(ロ)　不動産所得の金額の計算上生じた赤字額が1,000,000円の場合

1,000,000円　＞　622,222円　→　622,222円

(2)　上記以外の場合（土地と建物を別々の者から購入した場合等）

①　**土地の取得に要した借入金の額**

$$18,000,000円 \times \frac{20,000,000円}{30,000,000円} = 12,000,000円$$

② 土地の取得に要した借入金の利子の額

$$1,400,000円 \times \frac{12,000,000円}{18,000,000円} = 933,333円$$

③ 損益通算の対象とならない利子の額

(イ) 不動産所得の金額の計算上生じた赤字額が500,000円の場合

500,000円 ＜ 933,333円 → 500,000円

(ロ) 不動産所得の金額の計算上生じた赤字額が1,000,000円の場合

1,000,000円 ＞ 933,333円 → 933,333円

3. 国外中古建物の不動産所得に係る損益通算等の特例

令和2年度税制改正により，個人が，令和3年以後の各年において，国外中古建物（不動産所得の金額の計算上，減価償却費として必要経費に算入する金額を簡便法または一定の書類の添付がない見積法により算定された耐用年数により計算している国外にある建物をいう）の貸付けから生ずる国外不動産所得の損失のうち，減価償却費に相当する金額は生じなかったものとみなされることになりました。複数の国外中古建物を所有する場合には1棟ごとに計算します。その結果，国内の不動産所得との所得内通算および他の所得との損益通算ができないことになります。

なお，令和3年までに取得した建物であっても，令和3年以降の各年分については改正の適用を受けることになります。

また，譲渡所得の金額の計算上，上記の生じなかったものとみなされる減価償却費の累積額は取得費からは控除されないこととなります。

＜具体例＞

① **取得した建物**

（取得価額4,000万円　木造 築25年 耐用年数22年）

② **建物の減価償却費（簡便法を採用）**

4,000万円÷4年＝1,000万円

（簡便法による耐用年数　22年×20％＝4.4年→4年）

〈国外家賃収入〉　　　〈必要経費〉　　　（単位：万円）

収入 500	その他の経費 200
損失はなかったものとみなす。 損失 700	減価償却費 1,000

第4節　居住用財産の譲渡損失の損益通算の特例

　平成16年度税制改正により，平成16年分以後の各年分において，土地・建物等の譲渡による譲渡所得の金額と他の所得との間の損益通算が認められなくなりましたが，①居住用財産の買換え等の場合の譲渡損失の損益通算の特例または②特定居住用財産の譲渡損失の損益通算の特例のいずれかの適用を受ける場合には，その損益通算が従来どおり認められます。

1．居住用財産の買換え等の場合の譲渡損失の損益通算の特例

　個人が平成16年1月1日から令和5年12月31日までの間に，所有期間5年超の一定の居住用財産（マイホーム）を譲渡し，新たに借入金により一定の居住用財産に買い換えた場合において，その譲渡資産について生じた譲渡損失は，譲渡年における給与所得等他の所得との相殺，すなわち損益通算ができます。さらに，損益通算しきれない損失は，譲渡年の翌年以降，最大3年間繰り越して，一定の要件の下で，繰越控除できます。

2．特定居住用財産の譲渡損失の損益通算の特例

　個人が，平成16年1月1日から令和5年12月31日までの間に，所有期間が5年超の一定の居住用財産（一定の借入金を有するもの）を譲渡した場合において，譲渡資産について生じた損失の金額は，譲渡資産に係るローン残高が譲渡対価を超える金額を限度として，譲渡年における給与所得等他の所得との相殺，すなわち損益通算できます。さらに，損益通算しきれない損失は，譲渡年の翌年以降，最大3年間繰り越して，一定の要件の下で，繰越控除ができます。

　損益通算および繰越控除の対象となる譲渡損失の金額は，当該譲渡資産に係る一定の住宅借入金の金額から譲渡対価の額を控除した残額が限度となります。

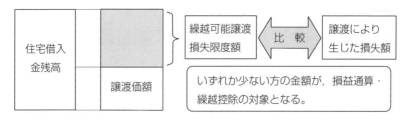

＜具体例＞

損益通算および譲渡損失の対象となる譲渡損失の金額

① 住宅の譲渡価額　　　　　　　　　　　　　　　　30,000,000円

② 住宅の取得費（減価償却後）＋譲渡費用　　　　　55,000,000円

③ 住宅借入金残高　　　　　　　　　　　　　　　　50,000,000円

④ 給与所得（毎年一定）　　　　　　　　　　　　　 6,000,000円

⑤ 所得控除は考慮しない

① **住宅の譲渡損失の計算**

　　55,000,000円－30,000,000円＝25,000,000円

② **住宅借入金のうち譲渡価額を超える金額**

　　50,000,000円－30,000,000円＝20,000,000円

③ **損益通算および譲渡損失の対象となる譲渡損失の金額**

　　①と②のいずれか少ない金額となるため，20,000,000円

④ **損 益 通 算**

　　6,000,000円－20,000,000円

　　＝△14,000,000円（←翌年以降3年間の繰越控除の対象）

第5節　損失の繰越控除

　損益通算後の所得金額が赤字となった場合（1．純損失の繰越控除），雑損控除を控除したら所得金額が赤字となった場合（2．雑損失の繰越控除），マイホームに伴う譲渡損失が生じ，損益通算してもなお引ききれない損失がある場合（3．居住用財産の譲渡損失の繰越控除）において，一定要件を満たした場合に限り，その赤字を翌年以降3年間繰り越すことが認められています。これを「損失の繰越控除」といいます。

　翌期に繰り越された「純損失の金額」「雑損失の金額」「居住用財産の譲渡損失の金額」がある場合には，損益通算後の「総所得金額」等からこれらの金額を控除します。

1．純損失の繰越控除

　損益通算をしても控除しきれない損失の金額のうち，青色申告を選択していた年分に生じた損失で，次の要件を満たしているものについては，「純損失の繰越控除」として，損失の生じた年の翌年以後3年間繰越控除できます。

　①　損失が生じた年分の青色申告書を提出していること

　②　損失が生じた年の翌年以後も連続して確定申告書を提出していること

　繰り越された純損失の金額は，その年分の総所得金額・土地等に係る事業所得の金額（平成10年1月1日から令和8年3月31日までの間については適用なし）・山林所得金額または退職所得金額から控除することができ，その控除順序は，次のとおりです（❶～⓬）。

　なお，分離の土地建物等に係る譲渡所得の金額・分離の株式等に係る譲渡所得等の金額・分離の先物取引に係る雑所得等の金額から控除することはできません。

純損失の繰越控除額の控除順序

純損失の金額の内容／その年分の所得の内容	総所得金額の計算上生じた損失の部分の金額	土地等に係る事業所得等の金額の計算上生じた損失の部分の金額	山林所得の金額の計算上生じた損失の部分の金額
総所得金額	❶	❺	❿
土地等に係る事業所得等の金額	❹	❷	⓫
山林所得金額	❻	❽	❸
退職所得金額	❼	❾	⓬

<具体例>

① その年の前年分の純損失の金額の内訳

(イ) 総所得金額の計算上生じた損失の部分

$= \triangle 80 \longrightarrow \triangle 80$

(ロ) 分離短期譲渡所得の金額の計算上生じた損失の部分

$= \triangle 170$（切捨て）$\longrightarrow 0$

② その年分の所得

△80（前年分の純損失の繰越し）

(イ) 総所得金額

$= 200 \longrightarrow 120$

(ロ) 分離短期譲渡所得の金額

$= 30 \longrightarrow 30$

(ハ) 分離長期譲渡所得の金額

$= 120 \longrightarrow 120$

2．雑損失の繰越控除

その年の所得金額から雑損控除を差し引くと赤字となり，その年にはその雑損控除が控除しきれない場合で，次の要件を満たすものについては，「雑損失の金額」として，損失の生じた年の翌年以後 3 年間繰越控除できます。

①　雑損控除により赤字となった年の確定申告書を提出していること

②　赤字となった年の翌年以後も連続して確定申告書を提出していること

「雑損失の金額」とは，災害・盗難もしくは横領によって資産（生活に通常必要でない資産および事業用資産等を除く）に受けた損失額（保険金・損害賠償金などで補填される部分の金額を除く）のうち，雑損控除額（総所得金額等の10％または 5 万円を超える部分）をいいます。

雑損失の金額は，①総所得金額，②分離の短期譲渡所得の金額，③分離の長期譲渡所得の金額，④分離の株式等に係る譲渡所得等の金額または分離の先物取引に係る雑所得等の金額，⑤山林所得の金額，⑥退職所得の金額の順序で控除します。

また，同じ年に純損失の金額と雑損失の金額がある場合には，純損失の金額→雑損失の金額の順に控除します。

3．居住用財産の譲渡損失の繰越控除

土地・建物等の譲渡による譲渡所得の金額の計算上生じた損失については，原則として他の所得との損益通算と共に翌年以降の繰越しが認められていません。

ただし，平成16年 1 月 1 日から令和 7 年12月31日までの譲渡につき，居住用財産の買換え等の場合の譲渡損失の繰越控除の特例または特定居住用財産の譲渡損失の繰越控除の特例の適用を受ける場合には，その譲渡損失について翌年以降に 3 年間に限り繰越控除することができます。

＜具体例＞

繰越控除の対象となる譲渡損失がある場合の各年分の所得税等の計算

① 毎年の給与所得　　6,000,000円

② 譲渡損失　　20,000,000円

③ 毎年の所得控除　　1,500,000円

譲渡年において給与所得と相殺しきれなかった譲渡所得の赤字1,400万円（20,000,000円－6,000,000円）は譲渡年後3年間に限り繰り越して，次のように各年の給与所得と相殺して所得税等を計算することになります。

	（給与所得－譲渡損失の額）	
譲渡年	損益通算：600万円－2,000万円＝△1,400万円	損益通算しても引ききれない金額→繰越控除
	所得税・住民税：0円	

2年目	繰越控除：600万円－1,400万円＝△　800万円　（翌年に繰越し）
	所得税・住民税：0円

3年目	繰越控除：600万円　－　800万円＝△　200万円　（翌年に繰越し）
	所得税・住民税：0円

4年目	繰越控除：600万円　－　200万円＝400万円
	課税所得：400万円　－　150万円＝250万円
	所得税・住民税：250万円×20.210％－9.9548万円＝40.57万円

第6節　損失の繰戻し還付

　青色申告者については，前述のとおり，その年に生じた純損失の金額を翌年以後3年間に繰り越して控除することのほか，前年分についても青色申告書を提出している場合は，その純損失の金額の全部または一部を前年分の所得金額から控除したところで税額計算をやり直し，その差額の税額の還付を請求することができます。

1．純損失の繰戻しの要件

区　　　　分	要　　　　件
その年分に生じた純損失の前年分への繰戻し	①　その年分の確定申告書（青色）を期限内に提出すると同時に，還付請求書を提出すること ②　前年分について青色申告書を提出していること
その年中に事業の廃止・死亡などのため，前年分について生じていた純損失の金額をその年以後3年間に繰越控除することができなくなった場合における前年分の純損失の前々年分への繰戻し	①　上記①と同様 ②　前年分および前々年分について青色申告書を提出していること

2．還付金額

　次の算式によって計算した金額に相当する所得税の額について，還付を請求することができます（還付請求書の提出）。ただし，この金額が前年分の税額控除後の所得税の額を超えるときは，その所得税の額が還付される金額の限度となります。

前年分の税額控除前の所得税の額	－	前年分の課税所得金額から純損失の金額を控除した金額に前年分の税率を適用して算出した税額控除前の所得税額

純損失の金額のうち，一部を繰り戻さなかった部分の金額は，翌年以後に繰り越すことができます。

＜具体例＞

(1) **損失発生年分の純損失の内訳**　　　　　　　　　　　　（単位：万円）

　① 総所得金額計算上の損失　　　△400

　② 山林所得金額計算上の損失　　△50

(2) **前年分の課税所得金額の内訳**　　　　　　△300　　　　　△100

　① 課税総所得金額　　　300　　　　　　　　　　　　　　0

　② 課税山林所得金額　　200　　　　　　　　　　150　　50

(3) **前年分の所得税額の内訳**

　① 算出税額　　302,500円

　　　　（＝(2)①の税額202,500円＋②の税額100,000円）

　② 税額控除　　10,000円

(4) **繰戻し後の前年分の所得税額の内訳**

　① 算出税額　　25,000円

　　　　（＝(2)②の繰戻し後の税額25,000円）

　② 税額控除　　10,000円

還付金額の計算

　302,500円（(3)①）－25,000円（(4)①）＝277,500円

　277,500　＜　292,500（(3)①－②）　　　　　∴　277,500

『第5章』

所 得 控 除

第1節 雑損控除

雑損控除は，日常生活に通常必要な住宅や家財，現金などの生活用資産について，災害，盗難または横領により資産に損害を受けた場合や，災害に関連してやむをえない支出（例えば，火災の後片付け費用）をした場合に適用が受けられます。

1．適用が受けられる損失

雑損控除が適用される損失の発生原因は，次のものに限定されます。

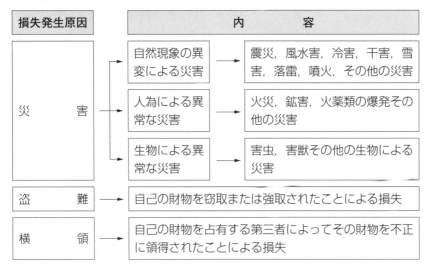

損失発生原因	内　　　　容	
災　　害	自然現象の異変による災害	震災，風水害，冷害，干害，雪害，落雷，噴火，その他の災害
	人為による異常な災害	火災，鉱害，火薬類の爆発その他の災害
	生物による異常な災害	害虫，害獣その他の生物による災害
盗　　難	自己の財物を窃取または強取されたことによる損失	
横　　領	自己の財物を占有する第三者によってその財物を不正に領得されたことによる損失	

2．対象となる資産

雑損控除の対象となる資産は，次に掲げるものに限定されています。

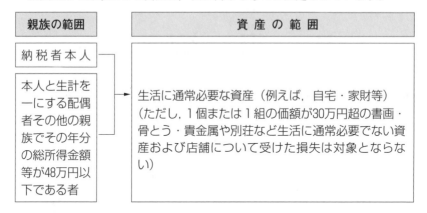

親族の範囲	資 産 の 範 囲
納 税 者 本 人	生活に通常必要な資産（例えば，自宅・家財等） （ただし，1個または1組の価額が30万円超の書画・骨とう・貴金属や別荘など生活に通常必要でない資産および店舗について受けた損失は対象とならない）
本人と生計を一にする配偶者その他の親族でその年分の総所得金額等が48万円以下である者	

3．対象となる損失金額

雑損控除の対象となる金額は，次のものに限定されています。

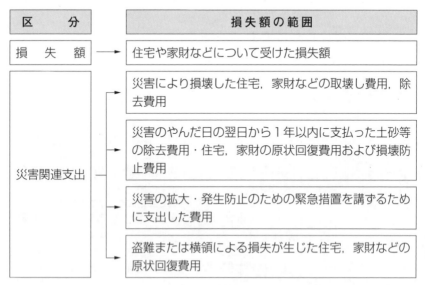

区　　分	損 失 額 の 範 囲
損　失　額	住宅や家財などについて受けた損失額
災害関連支出	災害により損壊した住宅，家財などの取壊し費用，除去費用
	災害のやんだ日の翌日から1年以内に支払った土砂等の除去費用・住宅，家財の原状回復費用および損壊防止費用
	災害の拡大・発生防止のための緊急措置を講ずるために支出した費用
	盗難または横領による損失が生じた住宅，家財などの原状回復費用

4. 控 除 額

雑損控除の控除額は，次のいずれか多い方です。

> ① 損失の金額－総所得金額等×$\dfrac{1}{10}$
>
> ② 損失の金額のうち災害関連支出の金額－5万円

(**注1**)　総所得金額等とは，総所得金額，分離長期譲渡所得の金額（特別控除前），分離短期譲渡所得の金額（特別控除前），株式等に係る譲渡所得等の金額（譲渡損失の繰越控除適用後），先物取引に係る雑所得等の金額（損失の繰越控除適用後），退職所得金額および山林所得金額の合計額をいいます。

(**注2**)　損失の金額＝損害金額－保険金などで補填される金額

5. 手 続 き

雑損控除の適用を受けるためには，確定申告書の提出が必要です。

なお，確定申告書を提供する際には災害等に関連して支出した金額についての領収書を添付または提示しなければなりません。

第2節　医療費控除

本人または本人と生計を一にする（5. 参照）配偶者やその他の親族のために医療費を支払ったときに控除されます。

1. 適用が認められる親族の範囲

医療費控除の適用が認められる親族は，次の者に限定されています。

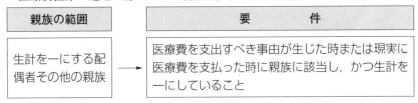

親族の範囲	要　件
生計を一にする配偶者その他の親族	医療費を支出すべき事由が生じた時または現実に医療費を支払った時に親族に該当し，かつ生計を一にしていること

2．適用対象となる医療費の範囲

医療費控除の適用が認められる医療費は，次のものをいいます。

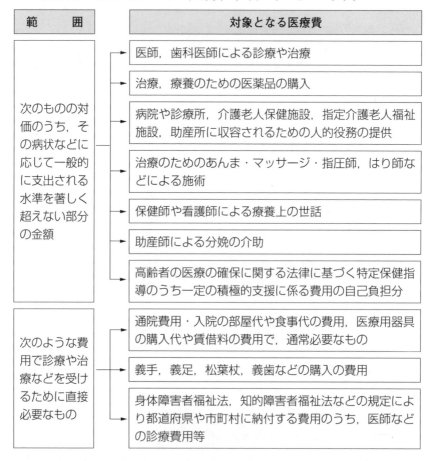

範　　　囲	対象となる医療費
次のものの対価のうち，その病状などに応じて一般的に支出される水準を著しく超えない部分の金額	医師，歯科医師による診療や治療
	治療，療養のための医薬品の購入
	病院や診療所，介護老人保健施設，指定介護老人福祉施設，助産所に収容されるための人的役務の提供
	治療のためのあんま・マッサージ・指圧師，はり師などによる施術
	保健師や看護師による療養上の世話
	助産師による分娩の介助
	高齢者の医療の確保に関する法律に基づく特定保健指導のうち一定の積極的支援に係る費用の自己負担分
次のような費用で診療や治療などを受けるために直接必要なもの	通院費用・入院の部屋代や食事代の費用，医療用器具の購入代や賃借料の費用で，通常必要なもの
	義手，義足，松葉杖，義歯などの購入の費用
	身体障害者福祉法，知的障害者福祉法などの規定により都道府県や市町村に納付する費用のうち，医師などの診療費用等

3．控　除　額

次の算式によって計算した金額が控除額となります。

その年中に支払った医療費の総額	－	保険金などで填補される金額	－	10万円 (注)	＝	医療費控除額（最高200万円）

（注） 総所得金額等が200万円未満の場合は，総所得金額等の5％相当額

4. 未払い医療費

　医療費控除は，医療費を支払った場合に適用があります。したがって，本年中に診療等を受けても，本年末日現在未払いのものは，本年の医療費控除の対象にはならず，支払った年分の医療費控除の対象となります。

5. 生計を一にする親族

　生計を一にする親族とは，同一の家屋に起居している親族をいいます。なお，勤務や就学のために現に同一の家屋に起居していなくても，生活費や学費を仕送りしている場合等には，生計を一にするといえます。

6. 手 続 き

　医療費控除の適用を受けるためには，確定申告書の提出が必要になります。
　併せて，確定申告書を提出する際には，医療費の領収書から作成した「医療費控除の明細書」を添付または提示しなければなりません。なお，医療保険者から交付を受けた医療費通知[注]がある場合は，医療費通知を添付することにより医療費控除の明細書の記載を簡略化することができます。また，医療費通知[注]に代わる書類として，次に掲げる書類を提出できます。
　①　審査支払機関（社会保険診療報酬支払基金および国民健康保険団体連合会）の医療費の額等を通知する書類
　②　医療保険者の医療費の額等を通知する書類に記載すべき事項が記録された電磁的記録を一定の方法により印刷した書面で，真正性を担保するための所要の措置が講じられているものとして国税庁長官が定めるもの
　なお，e-Taxにより確定申告を行う場合において，次に掲げる書類の記載事項を入力して送信するときや電磁的記録を送信するときは，当該書類の添付は不要となります。

記載事項を入力して送信するとき	電磁的記録を送信するとき
・医療保険者の医療費の額等を通知する書類 ・審査支払機関の医療費の額等を通知する書類	・審査支払機関の医療費の額等を通知する書類に記載すべき事項が記録された一定の電磁的記録（マイナポータルを使用して取得したもの）

(注) 医療費通知とは，医療保険者が発行する医療費の額等を通知する書類で，次のすべての事項の記載があるもの（後期高齢者医療広域連合から発行された書類の場合は③を除く）およびインターネットを使用して医療保険者から通知を受けた医療費通知情報でその医療保険者の電子署名ならびにその電子署名に係る電子証明書が付されたものをいいます。
①被保険者等の氏名，②療養を受けた年月，③療養を受けた者，④療養を受けた病院，診療所，薬局等の名称，⑤被保険者等が支払った医療費の額，⑥保険者等の名称

7．セルフメディケーション税制

　一定のスイッチOTC薬の購入費を支払った場合には，一定の金額の所得控除を受けることができます。

(1) 適用期間

　平成29年1月1日から令和8年12月31日までの間

(2) 適用対象者

　健康の保持増進および疾病の予防への取組として一定の取組を行っている個人が対象となります。なお，納税者本人と生計を一にする配偶者その他の親族が「一定の取組」を行っていることは要件とされていません。

(3) 一定の取組の範囲

　①　健康保険組合，市町村国保等が実施する健康診査

　②　市町村が健康推進事業として行う健康診査

　③　予防接種

　④　勤務先で実施する定期健康診断

　⑤　特定健康診査（いわゆるメタボ検診），特定保健指導

　⑥　市町村が特定健康増進事業として実施するがん検診

(4)　対象医薬品の範囲

対象医薬品は，一定のスイッチOTC医薬品および一定の非スイッチOTC医薬品です。

スイッチOTC医薬品とは，医師によって処方される医薬品（医療用医薬品）から，ドラッグストアで購入できるOTC医薬品に転用された医薬品です。

対象医薬品の具体的な品目は，厚生労働省ホームページに掲載されている「対象品目一覧」で確認することができます。

なお，一部の対象医薬品については，パッケージに以下の共通識別マークが表示されています。

(5)　控　除　額

セルフメディケーション税制による医療費控除の金額は，次の算式により計算した額となります。

> スイッチOTC薬品の購入額（最高10万円とし，保険金等で補てんされる部分を除く）　－ 12,000円 ＝ 控除額

(6)　手　続　き

セルフメディケーション税制の適用に関する事項を記載した確定申告書の提出が必要になります。なお，確定申告書を提出する際にはセルフメディケーション税制の明細書を添付しなければなりません。

(7)　従来の医療費控除との選択適用

セルフメディケーション税制は医療費控除の特例であり，従来の医療費控除と併用が出来ないため，いずれか一方を選択して適用を受ける必要があります。いずれかを選択して確定申告書を提出した後は，更正の請求や修正申告によって選択を変更することはできません。

第3節　社会保険料控除

　本人または本人と生計を一にする配偶者やその他の親族が負担すべき社会保険料を支払ったまたは給与から控除された場合には，その支払った金額または控除された金額が控除されます。

1. 対象となる社会保険料

　控除の対象となる社会保険料は，主に次頁の図表に示す保険料等に限られます。

2. 控　除　額

　その年において支払った金額または給与から控除された金額のそのまま全額が控除額となります。

3. 未払い社会保険料

　納付期日が到来した社会保険料であっても，未払いの社会保険料は控除の対象とはなりません。

　また，前納した社会保険料で期間が1年以内のものについては，その金額を控除して差し支えありません。

4. 手　続　き

　社会保険料控除の適用を受けるためには，確定申告書を提出する際に「社会保険料控除証明書」等を添付または提示しなければなりません（国民年金保険料および国民年金基金の掛金についてこの控除を受ける場合）。しかし，給与所得者が年末調整の際に給与所得から控除を受けた場合には，添付または提示の必要はありません。

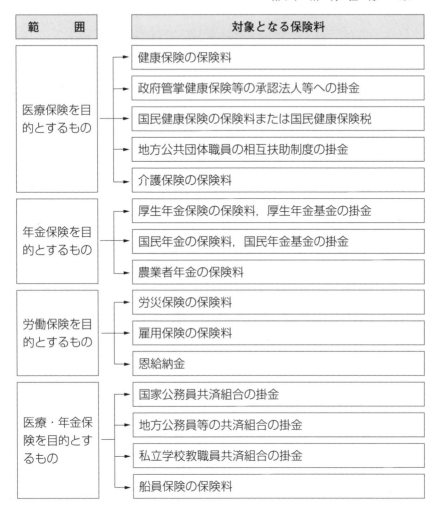

範　　囲	対象となる保険料
医療保険を目的とするもの	健康保険の保険料
	政府管掌健康保険等の承認法人等への掛金
	国民健康保険の保険料または国民健康保険税
	地方公共団体職員の相互扶助制度の掛金
	介護保険の保険料
年金保険を目的とするもの	厚生年金保険の保険料，厚生年金基金の掛金
	国民年金の保険料，国民年金基金の掛金
	農業者年金の保険料
労働保険を目的とするもの	労災保険の保険料
	雇用保険の保険料
	恩給納金
医療・年金保険を目的とするもの	国家公務員共済組合の掛金
	地方公務員等の共済組合の掛金
	私立学校教職員共済組合の掛金
	船員保険の保険料

第4節　小規模企業共済等掛金控除

本人が，小規模企業共済等掛金を支払った場合に控除されます。

1．対象となる小規模企業共済等掛金

控除される小規模企業共済等掛金とは，次の掛金をいいます。

掛　　　　金	内　　　　容
小規模企業共済法第2条第2項に規定する共済契約に基づく掛金	小規模企業共済制度とは，中小企業基盤整備機構の行う，個人事業主が事業を廃止した場合または中小企業の役員が退職した場合など，第一線を退いたときの生活安定を図ることを目的としたものです。
心身障害者扶養共済制度の掛金	心身障害者扶養共済制度とは，心身障害児をもつ親が，その生存中，掛金を地方公共団体に納付し，親に万が一が生じたときは子供に年金を給付する制度をいいます。
確定拠出年金法に規定する企業型年金加入者掛金または個人型年金加入者掛金	確定拠出年金制度には，「企業型」と「個人型」の2種類があります。「企業型」のうち，勤務先が負担する掛金に個人が掛金を上乗せしている場合は，個人が負担した掛金について所得控除の対象となります。「個人型」の場合は，掛金の全額を個人が負担するので，全額が所得控除の対象となります。

2．控　除　額

　その年において納税者本人が支払った金額のそのまま全額が控除額となります。

3. 未払い掛金

納付期日が到来した掛金であっても，未払いの掛金は控除の対象とはなりません。

4. 手 続 き

小規模企業共済等掛金控除の適用を受けるためには，確定申告書を提出する際に掛金額の証明書を添付または提示しなければなりません。しかし給与所得者が年末調整の際に給与所得から控除を受けた場合には，添付または提示の必要はありません。

第5節 生命保険料控除

本人が，一般の生命保険契約等または個人年金保険契約等ならびに介護医療保険契約等の保険料または掛金を支払った場合に控除されます。

1. 控除される場合

生命保険料控除が認められるケースは，次のものに限定されます。

(1) 一般の生命保険契約等

本人または親族（生計一でなくてもよい）を保険金受取人とする生命保険契約等に係る保険料を支払った場合

(2) 個人年金保険契約等

本人または配偶者（生計一でなくてもよい）を年金受取人とする個人年金保険契約等に係る保険料を支払った場合

(3) 介護医療保険契約等

本人または親族（生計一でなくてもよい）を保険金受取人とする介護医療保険契約等（平成24年1月1日以後に締結したもの）に係る保険料を支払った場合

2. 対象となる保険契約等

対象となる保険契約等は次のものに限られます。

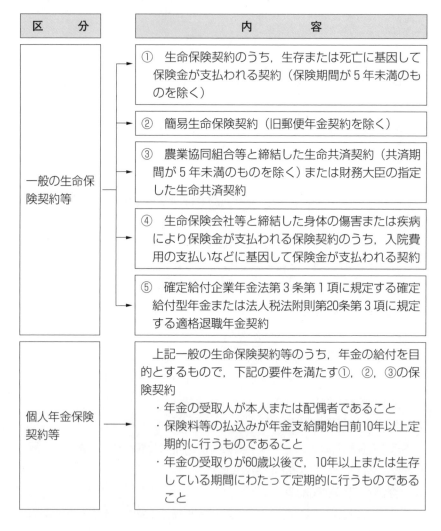

区　　分	内　　　容
一般の生命保険契約等	①　生命保険契約のうち，生存または死亡に基因して保険金が支払われる契約（保険期間が5年未満のものを除く） ②　簡易生命保険契約（旧郵便年金契約を除く） ③　農業協同組合等と締結した生命共済契約（共済期間が5年未満のものを除く）または財務大臣の指定した生命共済契約 ④　生命保険会社等と締結した身体の傷害または疾病により保険金が支払われる保険契約のうち，入院費用の支払いなどに基因して保険金が支払われる契約 ⑤　確定給付企業年金法第3条第1項に規定する確定給付型年金または法人税法附則第20条第3項に規定する適格退職年金契約
個人年金保険契約等	上記一般の生命保険契約等のうち，年金の給付を目的とするもので，下記の要件を満たす①，②，③の保険契約 ・年金の受取人が本人または配偶者であること ・保険料等の払込みが年金支給開始日前10年以上定期的に行うものであること ・年金の受取りが60歳以後で，10年以上または生存している期間にわたって定期的に行うものであること

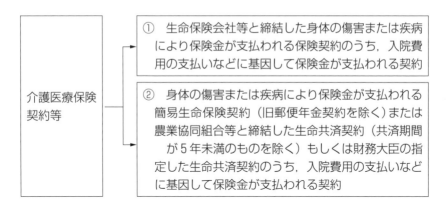

| 介護医療保険契約等 | ① 生命保険会社等と締結した身体の傷害または疾病により保険金が支払われる保険契約のうち，入院費用の支払いなどに基因して保険金が支払われる契約 |
| | ② 身体の傷害または疾病により保険金が支払われる簡易生命保険契約（旧郵便年金契約を除く）または農業協同組合等と締結した生命共済契約（共済期間が5年未満のものを除く）もしくは財務大臣の指定した生命共済契約のうち，入院費用の支払いなどに基因して保険金が支払われる契約 |

3. 控　除　額

　生命保険料を，一般の生命保険料，個人年金保険料および介護医療保険料に区分し，それぞれの合計額を下記の表にあてはめて計算した金額の合計額となります。

(1)　平成23年12月31日以前に締結した保険契約等（旧契約）

支払った生命保険料の合計額	控　　除　　額
25,000円以下	支払った生命保険料の全額
25,000円超　50,000円以下	(支払った生命保険料の金額)$\times\dfrac{1}{2}+12,500$円
50,000円超　100,000円以下	(支払った生命保険料の金額)$\times\dfrac{1}{4}+25,000$円
100,000円超	一律に50,000円

⑵ 平成24年 1 月 1 日以降に締結した保険契約等（新契約）

支払った生命保険料の合計額	控　　除　　額
20,000円以下	支払った生命保険料の全額
20,000円超 40,000円以下	(支払った生命保険料の金額) $\times \dfrac{1}{2} + 10,000$円
40,000円超 80,000円以下	(支払った生命保険料の金額) $\times \dfrac{1}{4} + 20,000$円
80,000円超	一律に40,000円

4．控除限度額

⑴　旧契約の場合

区　　分	限　度　額
一般の生命保険料控除	5万円
個人年金保険料控除	5万円
合　　計	10万円

⑵　新契約の場合

区　　分	限　度　額
一般の生命保険料控除	4万円
個人年金保険料控除	4万円
介護医療保険料控除	4万円
合　　計	12万円

(3)　新旧双方の契約について保険料控除の適用を受ける場合

区　　分	限　度　額		
	旧契約	新契約	旧契約と新契約の合計
一般の生命保険料控除	5万円	4万円	4万円
個人年金保険料控除	5万円	4万円	4万円
介護医療保険料控除	－	4万円	4万円
合　　計			12万円

5．特約保険料

(1)　旧契約の場合

　旧契約については，主契約の保障内容に応じて，それぞれ生命保険料控除が適用されます。

(2)　新契約の場合

　新契約については，主契約および特約の保障内容に応じて，それぞれ生命保険料控除が適用されます。

6．未払い生命保険料

　払込期日が到来した生命保険料であっても，未払いの生命保険料は控除の対象とはなりません。

7．手　続　き

　生命保険料控除の適用を受けるためには，確定申告書を提出する際に一般の生命保険料，個人年金保険料および介護医療保険料の支払額の証明書を添付または提示しなければなりません。しかし，給与所得者が年末調整の際に給与所得から控除を受けたものおよび旧契約で年間保険料が9,000円以下のものについては，添付または提示の必要はありません。

第6節　地震保険料控除

　平成18年度税制改正で，損害保険料控除が改組され，地震保険料控除が創設されました。平成19年分以後の所得税について，損害保険契約等のうち地震損害部分の保険料等を支払った場合に控除されます。

1．対象となる保険契約等

　対象となる保険契約等は，次のものに限られます。

地震保険等の目的		控除対象となる地震保険契約等
本人または本人と生計を一にする親族等の有する居住用家屋または生活に通常必要な動産を保険目的とする保険契約等に係る保険料を支払った場合	かつ	地震等を直接または間接の原因とする火災等による損害に基因して保険等が支払われる損害保険契約に係る地震損害部分の保険料等

2．控　除　額

(1)　地震保険料控除

　地震保険料控除の額は，損害保険料のうち地震保険に係る支払保険料を下記の表にあてはめて計算した金額となります。

支払った保険料の合計額	控　除　額
50,000円以下	支払った保険料の全額
50,000円超	一律に50,000円

(2)　長期損害保険料がある場合

（平成18年12月31日までに締結した長期損害保険契約等に限る）

支払った保険料の合計額	控　除　額
10,000円以下	支払った保険料の全額
10,000円超20,000円以下	（支払った保険料の金額）$\times \dfrac{1}{2} + 5,000$円
20,000円超	一律に15,000円

(3)　地震保険と長期損害保険の両方の契約がある場合

前記(1)および(2)のそれぞれの表によりあてはめて計算した控除額を合計した金額が控除額となります。ただし，その合計額が，50,000円を超える場合には50,000円となります。

3．未払い保険料

払込期日が到来した保険料であっても，未払いの保険料は控除の対象とはなりません。

4．手　続　き

地震保険料控除の適用を受けるためには，確定申告書を提出する際に支払額の証明書を添付または提示しなければなりません。しかし，給与所得者が年末調整の際に給与所得から控除を受けた場合には，添付または提示の必要はありません。

第7節　寄附金控除

本人が2,000円を超える特定寄附金を支出した場合に控除されます。

1．対象となる特定寄附金

寄附金控除の対象となる特定寄附金とは，次のものをいいます。

特定寄附金の種類	申告に必要な添付書類
国または地方公共団体に対する寄附金	領収書
公益社団法人，公益財団法人などに対する寄附金で財務大臣が指定したもの	領収書
公益の増進に著しく寄与する法人（特定公益増進法人）に対する寄附金 例　・独立行政法人・地方独立行政法人 　　・日本赤十字社・日本体育協会 　　・私立学校法人・社会福祉法人 　　・更正保護法人などに対する寄附金	領収書および地方独立行政法人，私立学校法人については特定公益増進法人の証明書の写し
特定の公益信託の信託財産としての支出	領収書および特定公益信託の認定証の写し
政党・政治資金団体・議員等の後援団体・その他の政治団体の政治活動に関する寄附金	総務大臣等の確認印のある「寄附金控除のための書類」
認定特定非営利活動法人の活動事業に関する寄附金	領収書等

2．控 除 額

寄附金控除の額は，次の算式により計算した金額となります。

| ① 総所得金額等×40% | いずれか | − 2,000円 ＝控除額 |
| ② 支出した特定寄附金の金額 | 少ない方 | |

3．未払いの寄附金

未払いの寄附金は，控除の対象とはなりません。

4．手 続 き

寄附金控除の適用を受けるためには，確定申告書の提出が必要です。

確定申告書を提出する際には，寄附をした団体などから交付を受けた上記1．の書類または電磁的記録印刷書面（電子証明書に記録された情報の内容と，その内容が記録された二次元コードが付された出力書面をいう）を添付または提示しなければなりません。なお，寄附をした団体などから交付を受けた寄付金の領収書等に代わる書類として，地方公共団体と寄附の仲介に係る契約を締結した一定の事業者（特定寄附仲介事業者）の特定寄附金の額等を証する書類を提出することができます。

また，e‐Tax により確定申告を行う場合において，特定寄附仲介事業者の特定寄附金の額等を証する書類に記載すべき事項が記録された一定の電磁的記録を送信するときは，当該書類の添付は不要となります。

第8節　障害者控除

　本人または配偶者控除の適用を受けられる配偶者や扶養親族が障害者や特別障害者であるときに控除されます。

　なお，障害者控除は扶養控除の適用がない16歳未満の扶養親族も対象となります。

1．障害者控除の対象となる者

　障害者控除の対象となる障害者・特別障害者とは，次の者をいいます。

種　　　類	対象となる者
障　害　者	・精神保健指定医などに知的障害者と判定された者 ・身体障害者手帳等の発行を受けている者
特別障害者	・心神喪失の常況にある者 ・重度の知的障害者 ・身体障害者手帳等に1級または2級の記載のある者 ・常に就床を要し複雑な介護を要する者など

2．控　除　額

　障害者控除の金額は，障害者に該当する場合には270,000円，特別障害者に該当する場合には400,000円，同居特別障害者に該当する場合には750,000円となります。

　同居特別障害者とは，次の要件をすべて満たす者をいいます。

①　特別障害者に該当する控除対象配偶者または扶養親族

②　本人または配偶者もしくは本人と生計を一にしているその他の親族のいずれかと常に同居している者

第 9 節　寡婦(寡夫)控除・未婚のひとり親に対する所得控除

　本人が寡婦または寡夫である場合や未婚のひとり親である場合に控除されます。

1. 寡婦 (寡夫) または未婚のひとり親の範囲

　寡婦 (寡夫) または未婚のひとり親とは，次の要件に該当する者をいいます。

	該当する者	親族要件	本人の所得要件	控除額
寡婦	①　夫と死別した後，婚姻をしていない者 ②　夫と離婚した後，婚姻をしていない者 ③　夫の生死が明らかでない者	扶養親族である子を有すること	合計所得金額が500万円以下であること	350,000円
		扶養親族その他生計を一にする子で総所得金額等が48万円以下の子を有すること	合計所得金額が500万円以下であること	270,000円
	①　夫と死別した後，婚姻をしていない者 ②　夫の生死が明らかでない者	―	合計所得金額が500万円以下であること	270,000円
寡夫	①　妻と死別した後，婚姻をしていない者 ②　妻と離婚した後，婚姻をしていない者 ③　妻の生死が明らかでない者	生計を一にする子で総所得金額等が48万円以下の子を有すること	合計所得金額が500万円以下であること	350,000円
未婚	婚姻 (事実婚を含む) をしていない者	生計を一にする子で総所得金額等が48万円以下の子を有すること	合計所得金額が500万円以下であること	350,000円

(注1) 総所得金額等とは，総所得金額，分離長期譲渡所得の金額（特別控除前），分離短期譲渡所得の金額（特別控除前），株式等に係る譲渡所得等の金額（譲渡損失の繰越控除適用後），先物取引に係る雑所得等の金額（損失の繰越控除適用後），退職所得金額および山林所得金額の合計額をいいます。

(注2) 合計所得金額とは，雑損失の繰越控除，純損失の繰越控除，特定居住用財産の繰越控除前の所得の合計額をいいます。

2．控 除 額

控除額は，上記1．の表の区分に応じた金額となります。

第10節　勤労学生控除

本人が勤労学生に該当する場合に控除されます。

1．勤労学生の範囲

勤労学生とは，その年の12月31日の現況で次の要件に該当する者をいいます。

学 生 の 要 件	所 得 要 件
幼稚園・小学校・中学校・高校・大学の学生	① 本人の勤労により得た事業所得・給与所得・退職所得・雑所得があること
国または地方公共団体，私立学校法に規定する法人等が設置した専修学校または各種学校の学生	② ①の合計所得金額が75万円以下であること
職業訓練法人の行う認定職業訓練の一定の課程を履修する学生	③ 勤労により得た所得以外の所得の金額が10万円以下であること

2．控 除 額

控除額は，270,000円です。

3．手　続　き

　専修学校，各種学校またはいわゆる職業訓練学校の生徒等が，勤労学生控除の適用を受けるためには，一定の証明書を添付または提示しなければなりません。しかし，給与所得者が年末調整の際に給与所得から控除を受けた場合には，添付または提示の必要はありません。

第11節　配偶者控除

　本人に控除対象配偶者がいる場合に控除されます。

1．控除対象配偶者の範囲

　控除対象配偶者とは，本人と生計を一にする配偶者で次の要件をすべて満たす者をいいます。

① 　本人の合計所得金額が1,000万円以下であること

② 　本人と生計を一にしていること

③ 　青色事業専従者または事業専従者でないこと

　（注）　青色事業専従者または事業専従者とは，事業主と生計を一にする配偶者その他の親族で，もっぱらその事業主の営む事業に従事する者をいいます。その中でも事業主が青色申告者である場合には，青色事業専従者といい，白色申告者である場合には，事業専従者といいます。

④ 　合計所得金額が48万円以下であること

2．老人控除対象配偶者の範囲

老人控除対象配偶者とは，次の要件をすべて満たす者をいいます。

① 　上記1．の控除対象配偶者であること

② 　年齢が70歳以上であること

3．控　除　額

　控除額は，控除を受ける納税者本人の合計所得金額に応じて下記のとおりとなります。

控除を受ける納税者本人の合計所得金額	控　除　額	
	控除対象配偶者	老人控除対象配偶者
900万円以下	38万円	48万円
900万円超950万円以下	26万円	32万円
950万円超1,000万円以下	13万円	16万円

　※同居特別障害者に該当する場合には，障害者控除の区分で別途控除されます。

第12節　配偶者特別控除

　本人と生計を一にする配偶者（他の人の扶養親族，控除対象配偶者および専従者となる者を除く）を有する場合に控除されます。

1．控除対象者

　配偶者特別控除の対象となるのは，次の要件をすべて満たす者です。
① 本人の合計所得金額が1,000万円以下であること
② 配偶者の合計所得金額が48万円超で133万円以下であること
③ 本人と生計を一にしていること
④ 他の人の扶養親族でないこと
⑤ 青色事業専従者または事業専従者に該当しないこと
⑥ 配偶者自身が配偶者控除の適用を受けていないこと

2．控　除　額

　控除額は，控除を受ける納税者本人の合計所得金額および配偶者の合計所得金額に応じて，控除額は次のとおりとなります。

		控除を受ける納税者本人の合計所得金額			
		900 万円以下	900 万円超 950 万円以下	950 万円超 1,000 万円	1,000 万円超
配偶者の合計所得金額	48 万円超 95 万円以下	38 万円	26 万円	13 万円	－
	95 万円超 100 万円以下	36 万円	24 万円	12 万円	－
	100 万円超 105 万円以下	31 万円	21 万円	11 万円	－
	105 万円超 110 万円以下	26 万円	18 万円	9 万円	－
	110 万円超 115 万円以下	21 万円	14 万円	7 万円	－
	115 万円超 120 万円以下	16 万円	11 万円	6 万円	－
	120 万円超 125 万円以下	11 万円	8 万円	4 万円	－
	125 万円超 130 万円以下	6 万円	4 万円	2 万円	－
	130 万円超 133 万円以下	3 万円	2 万円	1 万円	－
	133 万円超	－	－	－	－

第13節　扶　養　控　除

　本人に年齢が16歳以上の扶養親族がいる場合に控除されます。

1．扶養親族の範囲

　扶養親族とは，本人と生計を一にする親族で次の要件を満たす者をいいま

す。

　なお，青色事業専従者としてその年に給与の支払いを受けている者および事業専従者を除きます。

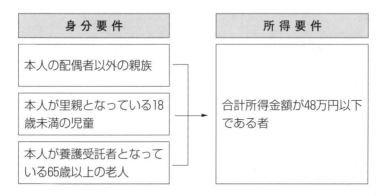

身分要件	所得要件
本人の配偶者以外の親族	合計所得金額が48万円以下である者
本人が里親となっている18歳未満の児童	
本人が養護受託者となっている65歳以上の老人	

２．特定扶養親族の範囲

　特定扶養親族とは，上記１．の扶養親族のうち年齢が19歳以上23歳未満の者をいいます。

３．老人扶養親族の範囲

　老人扶養親族とは，上記１．の扶養親族のうち年齢が70歳以上の者をいいます。

４．同居老親等の範囲

　同居老親等とは，上記３．の老人扶養親族のうち，本人または配偶者の直系尊属，かつ，いずれかと同居を常況としている者をいいます。

５．控　除　額

　控除額は，次の区分に応じて，それぞれの金額となります。

年　　齢	区　　　分		控　除　額
16歳以上19歳未満 23歳以上70歳未満	扶養親族		38万円
19歳以上23歳未満	特定扶養親族		63万円
70歳以上	老人扶養親族	同居老親等以外	48万円
		同居老親等	58万円

コラム

扶養控除等の見直し

1．扶養控除の縮小

　児童手当について，令和6年10月から所得制限の撤廃，第3子以降への増額，支給期間が高校生年代まで延長されることにより，15歳以下の取扱いとのバランスを踏まえ，16歳から18歳までの扶養控除が縮小されます。

（控除額）

　所得税38万円→25万円（改正後）
　住民税33万円→12万円（改正後）

2．ひとり親控除の拡充

　ひとり親の自立支援を進める観点から，ひとり親控除の所得要件の緩和，控除額の引き上げが行われます。

（適用対象）

　合計所得金額500万円以下→1,000万円以下（改正後）

（控除額）

　所得税35万円→38万円（改正後）
　住民税30万円→33万円（改正後）

3．適用時期

　所得税　令和8年以降分より適用（見込み）
　住民税　令和9年以降分より適用（見込み）

第14節　基　礎　控　除

納税者本人の合計所得金額に応じて控除額は下記のとおりとなります。

合計所得金額	基礎控除額
2,400万円以下	48万円
2,400万円超 2,450万円以下	32万円
2,450万円超 2,500万円以下	16万円
2,500万円超	0円

『第6章』

所得税額の計算と税額控除

第1節　通常の税額計算

　所得税の税額計算方法には総合課税と分離課税があります。

　総合課税される所得は配当所得・不動産所得・事業所得・給与所得・不動産および株式等以外の資産の譲渡に係る譲渡所得金額・一時所得・雑所得ですが，これらの所得を合計したものを「総所得金額」といいます。そして「総所得金額」から「所得控除額」を差し引いたものが「課税総所得金額」となり，これに対して所得税の累進税率を乗じて所得税の額を計算します。

　分離課税される所得は山林所得・退職所得・不動産の譲渡に係る譲渡所得・株式等の譲渡に係る譲渡所得金額があり，それぞれその所得単独で税額計算を行います。なお，総所得金額から引ききれない所得控除額がある場合には，分離課税される所得金額から差し引きます。

　課税総所得金額および課税退職所得金額に対する税額は，次頁の速算表により計算します。

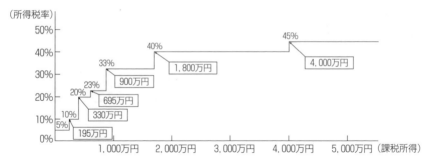

また，平成25年から令和19年まで（25年間）の各年分の所得税額に対しては，時限的に2.1%の復興特別所得税が課税されます。

① 所得税の速算表

所得税の速算表

課税所得		税　率	控除額
	1,950,000円以下	5%	0円
1,950,000円超	3,300,000円以下	10%	97,500円
3,300,000円超	6,950,000円以下	20%	427,500円
6,950,000円超	9,000,000円以下	23%	636,000円
9,000,000円超	18,000,000円以下	33%	1,536,000円
18,000,000円超	40,000,000円以下	40%	2,796,000円
40,000,000円超		45%	4,796,000円

所得税の速算表（復興特別所得税を含む）

課税所得		税　率	控除額
	1,950,000円以下	5.105%	0円
1,950,000円超	3,300,000円以下	10.210%	99,548円
3,300,000円超	6,950,000円以下	20.420%	436,478円
6,950,000円超	9,000,000円以下	23.483%	649,356円
9,000,000円超	18,000,000円以下	33.693%	1,568,256円
18,000,000円超	40,000,000円以下	40.840%	2,854,716円
40,000,000円超		45.945%	4,896,716円

② 所得税・住民税合算の速算表

所得税・住民税合算の速算表

課税所得		税　率	控除額
	1,950,000円以下	15%	0円
1,950,000円超	3,300,000円以下	20%	97,500円
3,300,000円超	6,950,000円以下	30%	427,500円
6,950,000円超	9,000,000円以下	33%	636,000円
9,000,000円超	18,000,000円以下	43%	1,536,000円
18,000,000円超	40,000,000円以下	50%	2,796,000円
40,000,000円超		55%	4,796,000円

所得税・住民税合算の速算表（復興特別所得税を含む）

課税所得		税　率	控除額
	1,950,000円以下	15.105%	0円
1,950,000円超	3,300,000円以下	20.210%	99,548円
3,300,000円超	6,950,000円以下	30.420%	436,478円
6,950,000円超	9,000,000円以下	33.483%	649,356円
9,000,000円超	18,000,000円以下	43.693%	1,568,256円
18,000,000円超	40,000,000円以下	50.840%	2,854,716円
40,000,000円超		55.945%	4,896,716円

＜具体例＞

令和6年分の所得税の計算（復興特別所得税を考慮した場合）

課税所得金額が6,500,000円の場合

（課税総所得金額）　　（税率）　　　　（控除額）　　　（求める税額）
6,500,000円 × 20.420% － 436,478円 ＝ 890,800円（百円未満切捨て）

第2節　平均課税

　変動所得または臨時所得のある人は課税総所得金額に対する税額を平均課税
の方法によって計算します。

　変動所得とは自然条件その他の条件により年々の所得が大幅に変動する性格

の所得をいいます。具体的には①漁獲から生ずる所得，②養殖から生ずる所得，③のりの採取から生ずる所得，④原稿・作曲の報酬に係る所得，⑤著作権の使用料に係る所得がこれにあたります。

臨時所得とは数年分の収入が一括して支払われる性格の所得をいいます。具体的には，①不動産等を3年以上の期間，他人に使用させることにより一時に受ける権利金等の金額がその契約による使用料の2年以上である所得，②公共事業の施行などに伴い事業を休業・転業・廃業することにより3年以上の期間分の事業所得等の補償として受ける補償金の所得，③鉱害その他の災害により事業などに使用している資産について損害を受けたことにより3年以上の期間分の事業の所得等の補償として受ける補償金の所得，④職業野球選手等が3年以上の期間，特定の者と専属契約を結ぶことにより一時に受ける契約金で，その金額がその契約による報酬の2年分以上である所得がこれにあたります。

変動所得・臨時所得の所得者は毎年ほぼ同額の所得が発生する者と比較すれば累進税率の関係から税負担に差異が生ずることになります。この税負担の差異を調整するため，一定の条件に該当する変動所得または臨時所得については特別の税額計算の方法が認められています。

ただし，個人住民税においては変動所得・臨時所得の平均課税の制度はありません。

第3節　土地建物等の特例

個人が土地・建物等を譲渡した場合における税額は不動産の売却収入から不動産の取得費および譲渡費用を差し引いて算出した譲渡益に一定の税率を乗じて計算します。

不動産の譲渡所得は所有期間によって「短期」と「長期」に区分されます。「短期譲渡所得金額」に対しては政策的な理由から重い税金が課せられるのに対し，「長期譲渡所得金額」は長期間の所有により形成された所得のため，税負担の軽減が図られています。

1．土地建物等の長期譲渡所得

　個人が所有期間5年を超える土地・建物等を譲渡した場合に適用される税率は，一律20.315％（所得税15.315％・住民税5％）です。

2．土地建物等の短期譲渡所得

　個人が所有期間5年以下の土地・建物等を譲渡した場合に適用される税率は一律39.63％（所得税30.63％・住民税9％）です。ただし，国等に対して譲渡した場合には，税率が一律20.315％（所得税15.315％・住民税5％）となります。

不動産の譲渡所得税率表

所有期間	税　　　　率
5　年　以　下	一律39.63％（所得税30.63％・住民税9％）
5　年　超　または国等に対する譲渡	一律20.315％（所得税15.315％・住民税5％）

第4節　株式等の特例

　個人が上場株式等・非上場株式等を売却した場合における税額はこれら株式等の譲渡収入から株式等の取得費および譲渡費用を差し引いて算出した譲渡益に一定の税率を乗じて計算します。

1．上場株式等

　上場株式等の売却に係る税率は一律20.315％（所得税15.315％・住民税5％）です。

2．非上場株式

　非上場株式等の売却に係る税率は一律20.315％（所得税15.315％・住民税5％）です。

＜具体例＞

譲渡所得税の計算

上場株式

銘柄	株数	売却金額	委託手数料	購入日	購入金額
A銀行	1,000株	5,000,000円	45,000円	平成12年1月10日	3,600,000円
B電鉄	1,000株	2,000,000円	20,000円	平成17年10月22日	1,400,000円
C交通	1,000株	1,000,000円	10,000円	平成17年12月12日	900,000円

非上場株式

銘柄	株数	売却金額	委託手数料	購入日	購入金額
D興産	1,000株	200,000円	0円	平成10年1月18日	500,000円
E鉄鋼	1,000株	500,000円	0円	平成15年1月17日	400,000円

平成28年1月1日以後の計算方法

　　　　　　　　（収入金額）　　　　（必要経費等）　　　　　　（差引金額）　　　　　（通算できない）

上場株式：8,000,000円 − 5,975,000円 ＝ 2,025,000円 → 2,025,000円

非上場株式：700,000円 − 900,000円 ＝ △200,000円 → 0円

　　　　　（課税される所得金額）　　　（上場株式の税率）　　　　分離課税の所得金額に対する税額（所得税および住民税）

上場株式：2,025,000円 × 20.315% ＝ 411,300円 （百円未満切捨て）

（参考）　平成27年12月31日以前の計算方法

　　　　　　　　（収入金額）　　　　（必要経費等）　　　　　　（差引金額）　　　　（通算後の差引金額）

上場株式：8,000,000円 − 5,975,000円 ＝ 2,025,000円 → 1,825,000円

非上場株式：700,000円 − 900,000円 ＝ △200,000円 → 0円

　　　　　（課税される所得金額）　　　（上場株式の税率）　　　　分離課税の所得金額に対する税額（所得税および住民税）

上場株式：1,825,000円 × 20.315% ＝ 370,700円 （百円未満切捨て）

　平成28年分の所得税の計算から，上場株式の譲渡損益と非上場株式の譲渡損益との通算ができなくなったことにより，40,600円（411,300円 − 370,700円）税額が増えます。

　(注)「4.株式等に係る譲渡所得の分離課税の改正について」参照

3．公社債等の課税方法

　公社債等については特定公社債等と一般公社債等に区分したうえで，これに係る利子および売却・償還に対して以下のように取り扱われます。

　特定公社債等については特定口座への受入れができ，特定口座における特定公社債等と上場株式等の損益通算ができます。

(1)　特定公社債等

　特定公社債等とは国債，地方債，外国国債，外国地方債等の特定公社債，公募公社債投資信託の受益権，証券投資信託以外の公募投資信託の受益権および特定目的信託の社債的受益権で公募のものをいいます。

①　利子等の課税方法

内　　容		平成28年1月1日以後	平成27年12月31日まで
特定公社債等	利子	・申告分離課税 　所得税　15.315% 　住民税　5％ ・申告不要^(注)	源泉分離課税

> **(注)**　特定公社債等の利子等のうち，源泉徴収が行われるものに限り申告不要を選択することができます。

②　売却・償還の課税方法

内　　容		平成28年1月1日以後	平成27年12月31日まで
特定公社債等	売却	・申告分離課税 　所得税　15.315% 　住民税　5％ ・申告不要^(注)	非課税
	償還		総合課税（雑所得）

> **(注)**　特定公社債等の売却・償還のうち，源泉徴収が行われるものに限り申告不要を選択することができます。

【留意事項】

　特定公社債等のうち外貨建のものについて，為替差損益は売却損益に計上されるため，平成27年12月31日までは非課税扱いになっていましたが，平成28年

1月1日以後は外貨建債券や外貨建公募公社債投資信託の受益権の売却に伴う為替差益についても課税の対象とされることになります。

(2)　一般公社債等

　一般公社債等とは，特定公社債以外の公社債および私募公社債投資信託等の受益権，証券投資信託以外の私募投資信託の受益権および特定目的信託の社債的受益権で私募のものをいいます。

①　利子等の課税方法

内　　容		平成28年1月1日以後	平成27年12月31日まで
一般公社債等	利子	源泉分離課税 　所得税　15.315% 　住民税　5%	源泉分離課税

②　売却・償還の課税方法

内　　容		平成28年1月1日以後	平成27年12月31日まで
一般公社債等	売却	申告分離課税 　所得税　15.315% 　住民税　5%	非課税
	償還		総合課税（雑所得）

(3)　同族会社が発行した社債の取扱い

　平成27年12月31日以前に同族会社が発行した社債の利子・償還差益を平成28年1月1日以後にその同族会社の株主等が受け取る場合は総合課税の対象となります。なお，令和3年度の税制改正により，同族会社の株主等にその同族会社の判定の基礎となる株主である法人と特殊関係のある個人およびその親族等が加わりました。この改正は令和3年4月1日以後に支払いを受けるべき社債の利子・償還金について適用します。

4．株式等に係る譲渡所得の分離課税の改正について

　公社債等の課税方式の改正に伴い，平成28年1月1日以後上場株式等の譲渡損失および繰越控除の範囲に特定公社債等の譲渡損失が追加されました。

　また，平成28年1月1日以後においては，上場株式等に係る譲渡所得等と一

般株式等に係る譲渡所得等が別々の分離課税となり，上場株式等の譲渡損益と一般株式等の譲渡損益とは通算ができないことになりました。

当該改正に伴い，特定公社債等を特定口座に受け入れることができ，損益通算および繰越控除の制度内の確定申告書の提出がなかった場合等の宥恕措置が廃止されました。

特定公社債等および上場株式等に係る譲渡所得等 （上場株式等）	上場株式等の譲渡損益　┊　特定公社債等の譲渡損益 ←――――――――┼――――――――→ 損益通算および譲渡損失の 3 年間繰越しが可能	
一般公社債等および非上場株式等に係る譲渡所得等 （一般株式等）	非上場株式等の譲渡損益	
	一般公社債等の譲渡損益	

5．NISA（日本版少額投資非課税制度）

上場株式等から生じる配当や譲渡益に対し平成25年12月31日まで軽減税率10.147％（所得税7.147％・住民税 3 ％）が適用されていましたが，平成26年 1 月からは本則である20.315％の税率に変更されました。

そのため，この軽減税率に代わる個人投資家への優遇措置として NISA が創設されました。一定の要件の下，その上場株式等から生じる配当所得および譲渡所得等は非課税になります。

令和 5 年度の税制改正により，NISA 制度につき大幅な見直しが行われました。以降，令和 6 年から開始する見直し後の NISA 制度を新 NISA，見直し前の NISA を一般 NISA として説明します。

新 NISA では，口座開設期間が令和 6 年 1 月 1 日以降恒久的な措置とされ，非課税期間も無制限になりました。

非課税年間投資上限額および生涯非課税限度額についてつみたて投資枠と成長投資枠という 2 つの枠が設けられました。

新 NISA の概要

制度の概要	非課税口座内の上場株式・公募公社債投資信託等の配当所得および譲渡所得等は非課税になります。
口座開設	●1人1口座 （複数の金融機関で同時に非課税口座を開設することはできません） ●口座開設期間（勘定設定期間）は令和6年1月1日以降、いつでも開設可能になりました。 ●口座開設のためには、非課税口座開設届出書に一定の書類を添付し、金融機関に提出しなければなりません。
投資額	以下の投資枠があり、それぞれの金額※の合計額（最大年間360万円）を上限とします。 ●つみたて投資枠…年間120万円 ●成長投資枠…年間240万円 　　※購入により上場株式等を取得した場合には、購入対価の額。 　　　払込みにより取得した上場株式等については払込金額。 　（注1）投資枠の未使用額を翌年以降に繰越しすることはできません。 　（注2）一般 NISA、ジュニア NISA、つみたて NISA の口座で保有していた上場株式等は新 NISA 口座に移管はできません。
非課税期間	令和6年1月1日以降、無制限になっています。
非課税投資総額	最大1,800万円（うち、成長投資枠の非課税投資総額は1,200万円）です。 なお、上場株式等を売却した場合、翌年以降、当該売却部分の投資枠は再利用可能となっています（買付残高ベース）。
開設者	その年の1月1日において満18歳以上の居住者または国内に恒久的施設を有する非居住者になります。

参考：一般 NISA の概要

制度の概要	非課税口座内の上場株式・公募株式投資信託等の配当所得および譲渡所得等は5年間非課税になります。
口座開設	●1人1口座 （複数の金融機関で同時に非課税口座を開設することはできません） ●口座開設期間（勘定設定期間）は以下のように設けられています。 　①　平成26年1月1日～平成29年12月31日 　②　平成30年1月1日～令和5年12月31日 ●口座開設年の前年10月1日からその年最初に当該口座に上場株式等を受け入れる時までに、非課税口座開設届出書に税務署長から交付を受けた非課税適用確認書（各勘定設定期間に応じる基準日における氏名、国内住所等が記載された書類）を添付し、金融機関に提出しなければなりません。

	(注) 平成31年1月1日以後，非課税口座簡易開設届出書を金融機関等に提出した場合には，添付が不要になります。
投資額	それぞれの金額の合計額が，年間120万円を上限とします。 ●購入により上場株式等を取得した場合には，購入対価の額 ●払込みにより取得した上場株式等については払込金額 ●他の年分の非課税口座から移管により受け入れた上場株式等の場合には，その移管の際の払戻し時の金額 **(注1)** 投資の未使用額を翌年以降に繰越しすることはできません。 **(注2)** 途中売却は可能ですが，売却部分の枠を再利用することはできません。 **(注3)** 非課税期間終了時に払戻し時の金額が年間投資額の上限（120万円）を超過している場合でも，その全額を翌年のNISA口座に移管できます。 **(注4)** 移管しない場合，原則として特定口座に移管されることになります。
非課税期間	最長5年（非課税管理勘定設定の日の属する年の1月1日以後5年を経過する日までとなりますので，年の中途の購入である場合にはその日の属する年の1月1日から起算することになります）
非課税投資総額	最大600万円（120万円×5年）になります。
開設者	その年1月1日において満18歳以上の居住者または国内に恒久的施設を有する非居住者になります。

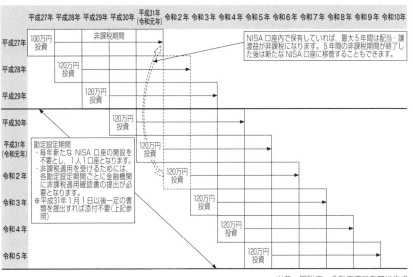

出典：国税庁，金融庁資料を基に作成

新 NISA と一般 NISA およびつみたて NISA を比較すると以下の図のようになります。

項目	一般 NISA	つみたて NISA	新 NISA
対象者	18歳以上の居住者等	18歳以上の居住者等	18歳以上の居住者等
非課税年間投資上限額	120万円 (注1)	40万円	＜つみたて投資枠＞ 120万円 ＜成長投資枠＞ 240万円 併用可（最大360万円）
生涯非課税限度額	600万円 （120万円×5年）	800万円 （40万円×20年）	1,800万円 （うち成長投資枠1,200万円）
口座開設期間	平成26年（2014年）から令和5年（2023年）	平成30年（2018年）から令和5年（2023年）	令和6年（2024年）1月1日以降（恒久化）
非課税期間	投資した年から最長5年間	投資した年から最長20年間	無制限
投資対象	上場株式，上場新株予約権付社債公募株式投資信託，ETF，REIT など	一定の公募等株式投資信託 (注2)	＜つみたて投資枠＞ 一定の公募等株式投資信託 (注2) ＜成長投資枠＞ 上場株式，公募等株式投資信託 (注3)

（注1）平成26年（2014年），平成27年（2015年）分は100万円。
（注2）株式投資信託でその受益権が金融商品取引所に上場等がされているものまたはその設定に係る受益権の募集が一定の公募により行われたものに限ります。
（注3）上場株式等のうち，整理銘柄として指定されている等，一定のものを除きます。
　　　　公募等株式投資信託にあっては，信託期間を定めないこと等その他一定の定めがされているものに限ります。

6．ジュニア NISA

　平成27年度の税制改正で未成年者を対象とした少額投資非課税制度「ジュニア NISA」が創設されました。平成28年1月1日からジュニア NISA 用の口座である未成年者口座の申込みが始まり，4月1日から未成年者口座で投資することができます。

　ジュニア NISA は NISA と同様の税制優遇措置です。未成年者を対象として，未成年者口座における毎年80万円までの投資の範囲内で，その上場株式等

から生じる配当所得および譲渡所得等は非課税となります。

　ただし，原則として18歳になるまでは払出しができず，払出しを行った場合は，未成年者口座において非課税とされた配当所得および譲渡所得等に対して遡及して課税されることになり，未成年者口座は廃止されます。なお，令和2年度税制改正により未成年者口座の開設が令和5年に終了することにあわせて，令和6年以後は払出しの制限が解除され，18歳未満であっても払出すことができます。この場合に遡及して課税は行われず，払出し等の含み益についても課税は行われません。また，令和5年度の税制改正により，投資可能な期間も令和5年までとなりました。

参考：ジュニア NISA の概要

制度の概要	未成年者口座内の上場株式・公募株式投資信託等の配当所得および譲渡所得等は5年間非課税になります。
口座開設	●1人1口座 （複数の金融機関で同時に非課税口座を開設することはできません） ●口座開設期間 　平成28年4月1日〜令和5年12月31日までの8年間
投資額	年間80万円を上限とします。 （注1）投資の未使用額を翌年以降に繰越しすることはできません。 （注2）途中売却は可能ですが，売却部分の枠を再利用することはできません。 （注3）非課税期間終了時に払戻し時の金額が年間投資額の上限（80万円）を超過している場合でも，その全額を翌年のジュニア NISA 口座に移管できます。 （注4）移管しない場合，原則として特定口座に移管されることになります。
非課税期間	最長5年（未成年者口座開設の日の属する年の1月1日以後5年を経過する日までとなりますので，年の中途の購入である場合にはその日の属する年の1月1日から起算することになります） （注）令和6年以降も，口座開設者が18歳になるまで非課税で保有し続けることができます。
非課税投資総額	最大400万円（80万円×5年）
開設者	開設の年の1月1日において18歳未満またはその年中に出生した居住者等

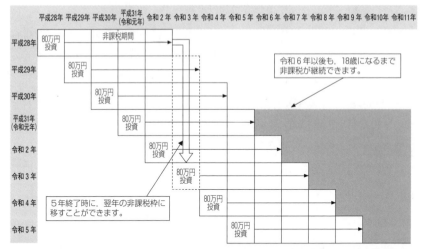

出典：国税庁，金融庁資料を基に作成

7．つみたて NISA

　平成29年度の税制改正で少額からの積立・分散投資を促進する目的で「つみたて NISA」が創設されました。

　つみたて NISA は一般 NISA よりも年間投資上限額を40万円と小さくする一方で，非課税期間を20年とより長期化する点が一般 NISA と異なります。

　つみたて NISA 口座内の公募等株式投資信託 (注) に係る配当所得および譲渡所得等が非課税となります。

　つみたて NISA は一般 NISA と選択して適用することができました。

　令和5年度の税制改正により，NISA 制度につき，大幅な見直しが行われ，つみたて NISA 口座での投資可能な期間は令和5年までとなりました。

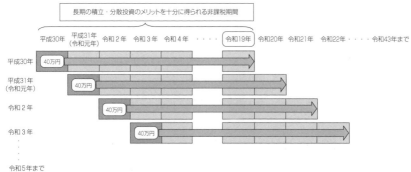

○非課税年間投資上限額（40万円）

出典：国税庁，金融庁資料を基に作成

一般 NISA とつみたて NISA を比較すると以下の図のようになります。

参考：一般 NISA との比較

項　　目	つみたて NISA	一般 NISA
対象者	18歳以上の居住者等	18歳以上の居住者等
非課税年間投資上限額	40万円	120万円（平成27年分以前は100万円）
非課税期間	投資した年から最長20年間	投資した年から最長5年間
投資可能期間	平成30年から令和5年	平成26年から令和5年
非課税対象	公募等株式投資信託 (注)	上場株式，上場新株予約権付社債 公募株式投資信託，ETF，REIT など
口座の開設と 勘定の設定	非課税口座開設 累積投資勘定を設定	非課税口座を開設 非課税管理勘定を設定

(注)　株式投資信託でその受益権が金融取引所に上場されているものまたはその設定に係る受益権の募集が一定の公募により行われたもの。

第5節 税額控除

　総合課税される課税総所得金額に対する所得税額および分離課税される各所得金額に対する所得税額の合計額から税額控除を差し引いた金額がその年の所得税額となります。そして，給与・配当・年金等に対して差し引かれた源泉徴収税額を差し引いて，確定申告のときに納める所得税額を算出します（「納付税額」という）。

1. 配当控除

　法人から支払いを受ける利益の配当は，すでに法人税が課税された後の利益を配分するものであり，個人が受けた配当に所得税が課税されると，法人税と所得税が二重に課税されてしまうことになります。したがって，配当控除は，この二重課税による過重負担を調整する趣旨で設けられています。

　配当控除は，日本国内に本店がある法人から支払いを受けた剰余金の配当，利益の配当，証券投資信託の収益の分配などに係る配当所得について適用があります。ただし，総合課税により確定申告をしているものに限ります。上場株式等の譲渡損失と損益通算するために，分離課税により確定申告した配当については配当控除の適用はありません。

　配当控除額は，配当所得の金額に一定率（配当控除率）を乗じて計算した金額です。この率は，課税総所得金額により判定します。ここでいう課税総所得金額とは，課税総所得金額と分離課税される課税所得（課税山林所得・課税退職所得を除く）の合計額です。なお，配当控除額がその年分の所得税額を超えるときは，その超える部分の金額は控除できません。

　配当所得が剰余金の配当等 (注) に係るもののみである場合の配当控除率は，次のとおりです。

　(注)　剰余金の配当等とは，剰余金の配当，利益の配当，剰余金の分配，金銭の分配および特定株式投資信託の収益の分配をいいます。

① 課税総所得金額が1,000万円以下の場合…所得税10％（住民税2.8％）

② 課税総所得金額が1,000万円超の場合で，かつ，課税総所得金額から配当所得の金額を差し引いた金額が1,000万円以下のとき

　（イ）　配当所得の金額のうち，課税総所得金額から1,000万円を控除した金額に相当する部分の金額…所得税５％（住民税1.4％）

　（ロ）　配当所得の金額のうち，上記（イ）以外の部分の金額…所得税10％（住民税2.8％）

③ 課税総所得金額が1,000万円超の場合で，かつ，配当所得を差し引いてもなお課税総所得金額が1,000万円を超えるとき…所得税５％（住民税1.4％）

　配当所得のうちに，特定証券投資信託[注]の収益の分配に係る配当所得がある場合には，その外貨建資産割合および非株式割合によって次の図のとおり，配当控除率が異なります。

（注） 特定証券投資信託とは，公社債投資信託以外の証券投資信託（特定株式投資信託を除く）のうち，特定外貨建等証券投資信託以外のものをいいます。

株式投資信託（特定株式投資信託を除く）の収益分配金の配当控除率

		外貨建資産割合		
		50％以下	50％超75％以下	75％超
非株式割合	50％以下	所得税５％（2.5％） 住民税1.4％（0.7％）	所得税2.5％（1.25％） 住民税0.7％（0.35％）	控除なし
	50％超75％以下	所得税2.5％（1.25％） 住民税0.7％（0.35％）	所得税2.5％（1.25％） 住民税0.7％（0.35％）	控除なし
	75％超	控除なし	控除なし	控除なし

（注1） （　）内は，課税総所得金額1,000万円超部分の配当控除率

（注2） 外貨建資産割合または非株式割合が「制限なし」や「約款規定なし」等と定められている場合には，75％超と同様に取り扱います。

＜課税総所得金額が1,000万円を超える場合の配当控除額の計算例＞

(1) 課税総所得金額が1,300万円・配当所得（剰余金の配当等）の金額が500万円・所得控除の額が200万円の場合

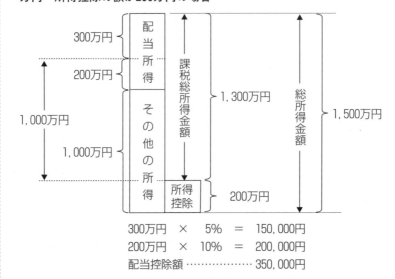

300万円 × 5% ＝ 150,000円
200万円 × 10% ＝ 200,000円
配当控除額 ……………… 350,000円

(2) 課税総所得金額が1,300万円・配当所得（剰余金の配当等）の金額が200万円・所得控除の額が200万円の場合

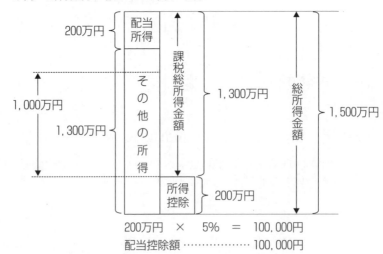

200万円 × 5% ＝ 100,000円
配当控除額 ……………… 100,000円

２．措置法の税額控除

⑴　住宅借入金等を有する場合の所得税額の特別控除

　住宅借入金等を有する場合の所得税額の特別控除（通称：住宅ローン控除）制度は，個人が一定の住宅を借入金（住宅ローン）により取得等をし，取得等の日から６か月以内に自己の居住の用に供した場合において，その住宅ローンの年末残高に0.7%を乗じた金額を，一定期間，所得税額から控除する制度です。

　なお，住宅借入金等特別控除の適用対象となる建物に居住した年の前々年から，翌年以後２年以内（令和２年４月１日以後に従前の住宅を譲渡した場合には，翌年以後３年以内）の各年において，居住用財産の特別控除・買換えの特例等の居住用財産の譲渡の特例の適用を受けている場合には，住宅ローン控除の適用を受けることはできません。

①　適用対象となる住宅

　適用対象となる住宅は，自己の居住の用に供するもので，下記のそれぞれの要件を満たすものに限ります。

㈠　住宅の新築または新築住宅の取得の場合

　　㋑　(A)　適用者の合計所得金額が1,000万円以下の場合には，床面積が40㎡以上であり，令和６年末までに建築確認を受けた認定住宅等の新築または認定住宅等で建築後使用されたことが無いものの取得であること

　　　　(B)　(A)以外の場合には，床面積が50㎡以上であり，かつ，令和５年末までに建築確認を受けた新築住宅であること

　　㋺　床面積の２分の１以上の部分が専ら自己の居住の用に供するものであること

㈡　既存住宅の取得の場合

　　㋑　床面積50㎡以上であること

　　㋺　床面積の２分の１以上の部分が，専ら自己の居住の用に供するものであること

　　㋩　以下の(A)～(C)のいずれかに該当すること

(A) 昭和57年1月1日以後に建築されたものであること

(B) 取得の日前2年以内に地震に対する安全上必要な構造方法に関する技術的基準に適合するものであると証明されたものであること

(C) 上記(A)(B)に該当しないもののうち，その取得の日までに耐震改修を行う申請をし，かつ，居住の用に供した日までにその耐震改修により家屋が耐震基準に適合することを証明すること

(ハ) 一定の増改築等の場合

㋑ 床面積50㎡以上であること

㋺ 床面積の2分の1以上の部分がもっぱら自己の居住の用に供するものであること

㋩ 増改築等の工事費が100万円を超えるもの（居住用部分の工事費が全体の2分の1以上）であること

② 適用者の所得要件

(イ) 原則

適用を受ける年の合計所得金額が2,000万円以下（床面積50㎡以上）であることが必要です。

(ロ) 令和5年（認定住宅の場合には令和6年）**までに建築確認を受けた新築住宅の場合**

適用を受ける年の合計所得金額が1,000万円以下（床面積40㎡以上）であることが必要です。

③ 住宅の種類ごとの控除期間と要件

所得税から控除をすることができる期間は，住宅の種類ごとに異なりますが，それぞれの要件と控除期間は下記のとおりです。

項目	主な要件	床面積要件	所要要件 (適用対象者の 適用を受ける年の 合計所得金額)	入居時期	
				令和6年	令和7年
新築	一般住宅	50㎡以上	2,000万円以下	0年(控除期間10年)(注)	
		40㎡以上 (注1)	1,000万円以下		
	エネルギー消費性能向上住宅 特定エネルギー消費性能向上住宅 認定長期優良住宅 認定低炭素住宅	50㎡以上	2,000万円以下	控除期間13年	
		40㎡以上 (注1)	1,000万円以下		
中古	一般住宅 エネルギー消費性能向上住宅 特定エネルギー消費性能向上住宅 認定長期優良住宅 認定低炭素住宅	50㎡以上	2,000万円以下	控除期間10年	

(注) 原則として令和5年（認定住宅については令和6年）12月31日までに建築確認を受けた新築住宅に限ります。

　　　ただし，令和6年1月1日以後に建築確認を受けた場合においても，登記簿上の建築日付が令和6年6月30日以前であれば適用対象となります。

④　住宅の種類と控除金額等

　住宅の種類，入居時期毎の控除額等は下記のとおりです。新築住宅の場合，令和6年以降の入居については，エネルギー消費性能向上住宅，特定エネルギー消費性能向上住宅，認定長期優良住宅，認定低炭素住宅でなければ住宅ローン控除の適用はありません。

　なお，年齢が40歳未満であって配偶者を有する者，年齢が40歳以上であって年齢40歳未満の配偶者を有する者または年齢19歳未満の扶養親族を有する者（以下，子育て特例対象個人という）に限り，認定住宅等の新築等をして令和6年中に入居した場合の控除対象借入限度額が，令和5年中に入居した場合と同水準に据え置かれることとなりました。

172

項目		入居時期	控除対象借入限度額 控除限度額(年)	控除期間 最大控除額
一般住宅		令和6年・令和7年	0円	2,000万円　　10年 14万円　　140万円 令和5年までに建築確認を受けた新築住宅に限る(注)
新築 エネルギー消費性能向上住宅	子育て特例対象個人以外	令和6年・令和7年	3,000万円 21万円	13年 273万円
	子育て特例対象個人	令和6年	4,000万円 28万円	13年 364万円
特定エネルギー消費性能向上住宅	子育て特例対象個人以外	令和6年・令和7年	3,500万円 24.5万円	13年 318.5万円
	子育て特例対象個人	令和6年	4,500万円 31.5万円	13年 409.5万円
認定長期優良住宅 認定低炭素住宅	子育て特例対象個人以外	令和6年・令和7年	4,500万円 31.5万円	13年 409.5万円
	子育て特例対象個人	令和6年	5,000万円 35万円	13年 455万円
中古 一般住宅		令和6年・令和7年	2,000万円 14万円	10年 140万円
エネルギー消費性能向上住宅 特定エネルギー消費性能向上住宅 認定長期優良住宅 認定低炭素住宅			3,000万円 21万円	10年 210万円

(注) 令和6年1月1日以後に建築確認を受けた場合においても，登記簿上の建築日付が令和6年6月30日以前であれば適用対象となります。

⑤　**控除期間中の最大控除額**（子育て特例対象個人が令和6年に入居した場合）

住宅の種類ごとの最大控除額は，下記のとおりです。

㈠　**一般住宅の場合**

住宅借入金等年末残高（最大3,000万円）の0.7%（最大21万円）

最大 21 万円	最大 21 万円	最大 21 万円	最大 21 万円	最大 21 万円	最大 21 万円	最大 21 万円	最大 21 万円	最大 21 万円	最大 21 万円	最大 21 万円	最大 21 万円	最大 21 万円
1年目	2年目	3年目	4年目	5年目	6年目	7年目	8年目	9年目	10年目	11年目	12年目	13年目

合計最大控除額273万円（＝21万円×13年）を受けるためには，金利0.5%・35年元利均等返済を前提とした場合，借入当初において4,624万円の借入が必要です。

㈡　**エネルギー消費性能向上住宅の場合**

住宅借入金等年末残高（最大4,000万円）の0.7%（最大28万円）

最大 28 万円	最大 28 万円	最大 28 万円	最大 28 万円	最大 28 万円	最大 28 万円	最大 28 万円	最大 28 万円	最大 28 万円	最大 28 万円	最大 28 万円	最大 28 万円	最大 28 万円
1年目	2年目	3年目	4年目	5年目	6年目	7年目	8年目	9年目	10年目	11年目	12年目	13年目

合計最大控除額364万円（＝28万円×13年）を受けるためには，金利0.5%・35年元利均等返済を前提とした場合，借入当初において6,165万円の借入が必要です。

㈢　**特定エネルギー消費性能向上住宅の場合**

住宅借入金等年末残高（最大4,500万円）の0.7%（最大31.5万円）

最大 31.5 万円	最大 31.5 万円	最大 31.5 万円	最大 31.5 万円	最大 31.5 万円	最大 31.5 万円	最大 31.5 万円	最大 31.5 万円	最大 31.5 万円	最大 31.5 万円	最大 31.5 万円	最大 31.5 万円	最大 31.5 万円
1年目	2年目	3年目	4年目	5年目	6年目	7年目	8年目	9年目	10年目	11年目	12年目	13年目

合計最大控除額409.5万円（＝31.5万円×13年）を受けるためには，金利0.5%・35年元利均等返済を前提とした場合，借入当初において6,936万円の借入が必要です。

㈡ 認定長期優良住宅，認定低炭素住宅の場合

住宅借入金等年末残高（最大5,000万円）の0.7%（最大35万円）

最大 **35** 万円	最大 **35** 万円	最大 **35** 万円	最大 **35** 万円	最大 **35** 万円	最大 **35** 万円	最大 **35** 万円	最大 **35** 万円	最大 **35** 万円	最大 **35** 万円	最大 **35** 万円	最大 **35** 万円	最大 **35** 万円
1年目	2年目	3年目	4年目	5年目	6年目	7年目	8年目	9年目	10年目	11年目	12年目	13年目

合計最大控除額455万円（＝35万円×13年）を受けるためには，金利0.5%・35年元利均等返済を前提とした場合，借入当初において7,707万円の借入が必要です。

参考：住宅ローン控除の変遷（一般住宅の場合）

居住の用に供した年	借入金等の年末 残高の限度額	控除 期間	控除率		各年の控 除限度額	最大控除額
平成11年1月～平成13年6月	5,000万円	15年	1～6年目1.0%		50万円	587.5万円
			7～11年目0.75%		37.5万円	
			12～15年目0.5%		25万円	
平成13年7月～平成16年12月	5,000万円	10年	1.0%		50万円	500万円
平成17年	4,000万円	10年	1～8年目1.0%		40万円	360万円
			9～10年目0.5%		20万円	
平成18年	3,000万円	10年	1～7年目1.0%		30万円	255万円
			8～10年目0.5%		15万円	
平成19年	2,500万円	10年	1～6年目1.0%		25万円	200万円
			7～10年目0.5%		12.5万円	
		15年	1～10年目0.6%		15万円	
			11～15年目0.4%		10万円	
平成20年	2,000万円	10年	1～6年目1.0%		20万円	160万円
			7～10年目0.5%		10万円	
		15年	1～10年目0.6%		12万円	
			11～15年目0.4%		8万円	
平成21年～平成22年	5,000万円	10年	1.0%		50万円	500万円
平成23年	4,000万円	10年	1.0%		40万円	400万円
平成24年	3,000万円	10年	1.0%		30万円	300万円
平成25年	2,000万円	10年	1.0%		20万円	200万円
平成26年1月～平成26年3月	2,000万円	10年	1.0%		20万円	200万円
平成26年4月～令和3年12月	4,000万円（注1）	10年	1.0%		40万円	400万円

居住の用に供した年	借入金等の年末残高の限度額	控除期間	控除率	各年の控除限度額	最大控除額
令和元年10月〜令和 4 年12月 （消費税10%適用時のみ）(注3)	4,000万円	13年	1〜10年目1.0%	40万円	480万円
			11〜13年目(注2)	26.6万円	
令和4年 1 月〜令和 5 年12月	3,000万円	13年	0.7%	21万円	273万円
令和6年 1 月〜令和 7 年12月(注4)	2,000万円	10年	0.7%	14万円	140万円

（注1） 消費税率 8 % 以外または10% 以外が適用される住宅の取得等の場合は 2,000万円が限度となります。

（注2） 下記（ア）または（イ）のいずれか少ない金額です。

（ア）住宅借入金等の年末残高（4,000万円を限度）×1.0%

（イ）住宅取得等の対価または費用の額（税抜）（4,000万円を限度）× 2 % ÷ 3

（注3） 令和 3 年以降の居住については契約時期の要件があります。

（注4） 令和 5 年までに建築確認を受けた新築住宅に限ります。ただし，令和 6 年 1 月 1 日以後に建築確認を受けた場合においても，登記簿上の建築日付が令和 6 年 6 月30日以前であれば適用対象となります。

(2) 認定住宅等の新築等に係る特別控除

個人が，下記①の住宅の新築または建築後使用されたことのない下記①の住宅の取得をし，令和 4 年 1 月 1 日から令和 7 年12月31日までの間に居住の用に供した場合（その新築等の日から 6 月以内にその者の居住の用に供した場合に限る）には，その居住の用に供した年の所得税額から下記①の住宅の認定基準に適合するために必要となる標準的な性能強化費用の額の10%相当額を控除することできます。

控除対象となる標準的な性能強化費用は650万円が限度で，所得税額から控除することができる金額は，居住の用に供した年の所得税の額が限度となります。また，その年の所得税の額から控除しきれない金額がある場合には，翌年の所得税の額から控除することができます。

この制度は，住宅借入金等を利用しない者も対象としていますが，住宅借入金等を利用する者については，(1)の「住宅借入金等を有する場合の所得税額の特別控除」との選択適用となります。なお，この特例の適用を受けた後に(1)の住宅ローン控除との選択替えはできません。

また，居住用財産を譲渡した場合の長期譲渡所得の課税の特例（軽減税率）

または居住用財産の譲渡所得の特別控除（3,000万円控除）の適用を受けている場合には，本特例の適用を受けることはできません。ただし，下記①の住宅として認可を受ける場合の新築等に要する費用は，他の一般住宅の新築等に要する費用と比べて高いこと等を踏まえ，買換えに関する特例と重複して適用することはできることとされています。

① 適用対象となる住宅

適用対象となる住宅は，床面積が50㎡以上（令和6年末までに建築確認を受けた認定住宅等の新築または建築後使用されたことのない認定住宅等の取得をした場合には床面積が40㎡以上），床面積の2分の1以上の部分がもっぱら自己の居住の用に供する次のいずれかの住宅です。

・特定エネルギー消費性能向上住宅

・認定長期優良住宅

・認定低炭素住宅

② 適用者の所得要件

適用を受ける年の合計所得金額が2,000万円以下であることが必要です。

(3) 既存住宅に係る特定の改修工事をした場合の特別控除

個人が，自己の居住用の家屋について，下記①の改修工事等をし，令和7年12月31日までの間にその者の居住の用に供した場合には，その居住の用に供した年分の所得税の額から，一定の金額を控除することができます。

この制度は，住宅借入金等を利用しない者も対象としていますが，住宅借入金等を利用する者については，(1)の「住宅借入金等を有する場合の所得税額の特別控除」との選択適用となります。なお，この特例の適用を受けた後に(1)の住宅ローン控除との選択替えはできません。

① 適用対象となる改修工事

適用対象となる改修工事は，下記のいずれかの工事です。

・バリアフリー改修工事

・多世帯同居改修工事

・省エネ改修工事

・耐久性向上改修工事

・耐震改修工事

・子育て特例対象個人が行う子育て対応改修工事

②　控除限度額

工事の種類ごとの控除限度額は下記のとおりです。

工事の種類	必須工事 控除率10% 対象工事 限度額^(注1)	その他工事 控除率5%		控除限度額^(注1)
		対象工事	対象工事 限度額^(注2)	
耐震改修^(注3)	250万円	必須の工事の対象工事限度超過分＋その他のリフォーム費用の額	必須工事の標準的な費用相当額^(注4)と同額までの金額	62.5万円
バリアフリー改修	200万円			60万円
多世帯同居改修	250万円			62.5万円
省エネ改修	250万円（350万円）			62.5万円（67.5万円）
耐久性向上（＋耐震改修）	250万円（350万円）			62.5万円（67.5万円）
耐久性向上（＋省エネ改修）	250万円（350万円）			62.5万円（67.5万円）
耐久性向上（＋耐震改修＋省エネ改修）	500万円（600万円）			75万円（80万円）
子育て対応改修	250万円			62.5万円

（注1）（　）は，太陽光発電装置を設置する場合の限度額です。

（注2）　最大対象工事限度額は必須工事と合わせて1,000万円です。

（注3）　昭和56年5月31日以前に建築された建物のみが対象となります。また，要耐震改修住宅に係る住宅借入金等特別控除の特例との併用はできません。

（注4）　標準的な費用相当額とは，工事の種類ごとに単位当たりの標準的な工事費用の額として定められた金額に，その工事を行った床面積等を乗じて計算した金額をいい，工事会社等から取得する増改築等工事証明書において確認することができます。

⑷ 住宅ローン等控除の一覧

住宅の種類		「住宅ローン型」(控除率0.7%)				「自己資金も可」型(注2)(控除率10%)		
		居住年	控除対象借入限度額	各年の控除限度額	最大控除額	居住年	控除対象限度額	控除限度額
一般の住宅 一般の増改築等		令和6年1月〜令和7年12月(注1)	2,000万円	14万円	140万円(10年)	適用なし		
エネルギー消費性能向上住宅	子育て特例対象個人以外	令和6年1月〜令和7年12月	3,000万円	21万円	273万円(13年)			
	子育て特例対象個人	令和6年1月〜令和6年12月	4,000万円	28万円	364万円(13年)			
特定エネルギー消費性能向上住宅	子育て特例対象個人以外	令和6年1月〜令和7年12月	3,500万円	24.5万円	318.5万円(13年)	令和6年1月〜令和7年12月	650万円	65万円
	子育て特例対象個人	令和6年1月〜令和6年12月	4,500万円	31.5万円	409.5万円(13年)	適用なし		
認定長期優良住宅 認定低炭素住宅	子育て特例対象個人以外	令和6年1月〜令和7年12月	4,500万円	31.5万円	409.5万円(13年)	令和6年1月〜令和7年12月	650万円	65万円
	子育て特例対象個人	令和6年1月〜令和6年12月	5,000万円	35万円	455万円(13年)	適用なし		

(注1) 令和5年12月31日までに建築確認を受けた新築住宅に限りますが，令和6年1月1日以後に建築確認を受けた場合においても，登記簿上の建築日付が令和6年6月30日以前であれば適用対象となります。

(注2) 「自己資金も可」型は，自己資金により取得等をしても，ローンにより取得等をしても適用できます。なお「住宅ローン」型と「自己資金も可」型の併用はできません。

⑸　住宅リフォーム控除の一覧

工事内容	「住宅ローン」型	「自己資金も可」型（注2）					
		居住年	必須工事限度額	控除率	その他工事限度額	控除率	控除限度額
バリアフリー改修工事	適用なし	令和4年1月〜令和7年12月	200万円	10%	800万円	5%	60万円
多世帯同居改修工事			250万円		750万円		62.5万円
省エネ改修工事			250万円（350万円）（注3）		750万円（650万円）（注3）		62.5万円（67.5万円）（注3）
耐久性向上工事（＋耐震改修工事）			250万円（350万円）（注3）		750万円（650万円）（注3）		62.5万円（67.5万円）（注3）
耐久性向上工事（＋省エネ改修工事）			250万円（350万円）（注3）		750万円（650万円）（注3）		62.5万円（67.5万円）（注3）
耐久性向上工事（＋耐震改修＋省エネ改修工事）			500万円（600万円）（注3）		500万円（400万円）（注3）		75万円（80万円）（注3）
耐震改修工事			250万円		750万円		62.5万円
子育て対応改修工事		令和6年4月〜令和6年12月	250万円		750万円		62.5万円

（**注2**）「自己資金も可」型は，自己資金により取得等をしても，ローンにより取
　　　　得等をしても適用できます。なお「住宅ローン」型と「自己資金も可」型の
　　　　併用はできません。

（**注3**）カッコ内の金額は，一般断熱改修工事等と併せて太陽光発電装置を設置す
　　　　る場合の限度額です。

3．外国税額控除

外国税額控除とは日本で課税される所得の中に外国で生じた所得があり，そ
の所得にその国の法令で所得税に相当する税金が課税されている場合，一定額
を所得税額から差し引くというものです。

⑴　外国税額控除額の計算方法

外国税額控除額の計算は外国所得税の額が次の算式により計算した控除限度

額（所得税の控除限度額）を超えるかどうかで異なります。

$$所得税の控除限度額 = その年分の所得税額 \times その年分の国外所得総額 \div その年分の所得総額$$

① **外国所得税の額が所得税の控除限度額に満たない場合**

外国税額控除額は外国所得税の額になります。

② **外国所得税の額が所得税の控除限度額を超える場合**

外国税額控除額は所得税の控除限度額と次の(イ)または(ロ)のいずれか少ない方の金額の合計額となります。

(イ) 控除対象外国所得税の額から所得税の控除限度額を差し引いた残額

(ロ) 次の算式により計算した復興特別所得税の控除限度額

$$復興特別所得税の控除限度額 = その年分の復興特別所得税額 \times その年分の国外所得総額 \div その年分の所得総額$$

(2) 外国税額の繰越控除

各年において納付することとなる外国所得税額がその年の控除限度額と地方税控除限度額との合計額を超える場合に，その年の前年以前3年内の各年の控除限度額のうち，その年に繰り越される部分の金額（繰越控除限度額）があるときは，その繰越控除限度額を限度としてその超える部分の金額をその年分の所得税の額から差し引くことができます。

各年において納付することとなる外国所得税額がその年の控除限度額に満たない場合に，その年の前年以前3年以内の各年において納付することとなった外国所得税額のうち，その年に繰り越される部分の金額（繰越外国所得税額）があるときは，その控除限度額からその年に納付することとなる外国所得税額を差し引いた残額を限度として，その繰越外国所得税額をその年分の所得税額から差し引くことができます。

(3) 外国税額控除を受けるための手続き

外国税額控除を受けるためには確定申告書に控除を受ける金額およびその計

算に関する明細の記載をし，かつ，外国所得税を課税されたことを証する書類
などを添付する必要があります。

『第7章』

確定申告と納税

第1節　確定申告とは

　私たちが税金を納める方式としては申告納税方式と賦課課税方式があります。申告納税方式とは，私たちが自ら税額を計算して納税する方式をいいます。賦課課税方式とは，国や都道府県，市町村が計算した税額を納税するという方式です。

1．確定申告とは

　所得税の確定申告は，申告納税方式を採用していますので，自分の責任で税額を計算して納めるというものです。また，確定申告は，前もって支払った税額（予定納税，給料や報酬から天引きされている所得税）を精算する役割を果たしています。そのほか，特別な規定の適用を受けるため，払いすぎた税金の還付を受けるため，今年の損失分を来年の税額計算で考慮するための意思表示の役割もあります。

　なお，平成25年から令和19年までの各年分の確定申告については，所得税と復興特別所得税を併せて申告・納付します。

申告の種類

確定申告には確定所得申告，確定損失申告，還付申告の３種類があります。ですから，どのような場合にどの申告をするのかが重要となります。詳細はこの後に説明します。

2．確定申告のメリット

確定申告は私たちが自ら税額を計算しなければならないので非常に面倒に感じます。しかし，税額の計算には複数の方法が用意されており，自ら計算方法を選択することができます。

確定申告をすることで次のメリットが受けられます。

① 有利な計算方法を選択することにより，税金を安くできます。

② 前払いしすぎた税金を取り戻せます。

③ 税金の知識が深まります。

3．申 告 方 法

確定申告は税務署に自ら手渡しに行く方法だけではありません。郵便等による送付，税務署に設置されている時間外文書収受箱に投函する方法もあります。送付については，消印が申告した日付となります。

また，一定の手続きを行えば e‐Tax による電子申告も可能となっています。電子申告とは，確定申告などの手続きをインターネット等により行う申告方法です。

第2節 確定所得申告

確定申告をしなければならない人は，例えば次のとおりです。

確定申告しなければならない人の例

給与所得者	・年収2,000万円超の人
	・2か所以上から給与をもらっている人
	・20万円超の副収入のある人
	・同族会社の役員等で貸付利子や地代家賃の支払いを受けている人
退職所得者	・「退職所得受給申告書」の提出がなく，源泉徴収税額が正規の税額より少ない人
年金所得者	・公的年金等の収入金額が400万円超の人
	・公的年金等以外の所得金額が20万円超の人
	・源泉徴収の対象とならない公的年金等の支給を受けた人
事業所得・不動産所得などのある者	・税額控除後においても税額が生ずる人
共　　通	・医療費控除・寄附金控除等の適用を受ける人

上記以外のサラリーマンについては，企業が毎月給料から所得税を天引きして，年末調整により所得税の精算を行いますので，通常，確定申告する必要はありません。

1．提出期間

確定申告書の提出期間は，翌年2月16日から3月15日までとなります。

2．提 出 先

　提出先は提出時の納税地(住所地)の所轄税務署長です。ですから，3月1日に引越しをして，その後に確定申告書を提出する場合には，引越し後の納税地(住所地)の所轄税務署長に提出することになります。なお，特別に届出を行うことで事業所等の所在地を納税地とすることもできます。

3．申告書の様式

　令和4年分から，申告書のA・Bの区分がなくなり，新しい申告書に一本化されました。

第3節　確定損失申告

　1年間の所得金額が赤字(損失)である場合には確定申告の義務はありませんが，一定の条件を満たす場合には確定損失申告をすることにより，その損失を翌年以降に繰り越したり，前年に繰り戻したりすることができます。

青色申告者の純損失の繰越・繰戻のイメージ

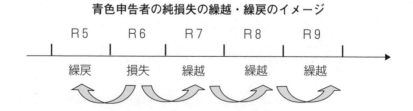

1．純損失の繰越控除

　事業所得・不動産所得などで損失が発生し，他の所得と差引相殺（損益通算）しても，なお引ききれない損失の金額を「純損失の金額」といいます。なお，不動産や株式等の譲渡にかかわる損失は，損益通算できない損失ということになっていますので，純損失の金額を計算する際に考慮しません。

　青色申告者は，確定損失申告をすることにより，その純損失の金額を翌年以

降 3 年間繰り越すことができます。

　白色申告者は，変動所得の損失や被災事業用資産の損失額のみ，確定損失申告をすることにより，翌年以降 3 年間繰り越すことができます。

2．雑損失の繰越控除

　災害や盗難などによって生活に必要な資産に損害を受けた場合の損失は，雑損控除を受けることができますが，雑損控除の結果，所得金額から引ききれない損失の金額（「雑損失の金額」という）がある場合には，確定損失申告をすることにより，その雑損失の金額を翌年以降 3 年間繰り越すことができます。

　なお，この雑損失の繰越控除は，青色申告者・白色申告者にかかわらず受けることができます。

3．純損失の繰戻し還付

　青色申告者については，純損失の金額を，翌年以降に繰り越す「純損失の繰越控除」でなく，前年に繰り戻して還付を受ける「純損失の繰戻し還付」を選択することもできます。ただし，前年も青色申告書を提出していることが要件となります。

　なお，純損失の金額のうち，一部を前年に繰り戻し，残額を翌年以降に繰り越すことも認められます。

第 4 節　還 付 申 告

　その年の所得税の前払い（給料から天引きされた源泉所得税，予定納税）がその年の所得税の年税額より多い場合には，払いすぎた税金を取り戻すために還付申告書を提出できます。

　ただし，確定申告書の提出義務がある場合や確定損失申告書を提出できる場合には，確定申告書や確定損失申告書により還付申告を行います。

1．還付申告できる人の例

例えば，次のケースに該当する人は，申告により税金の還付が期待できます。

① 7月や11月に予定納税を支払っている人で，その年の所得が激減してしまった人

② 配当金や原稿料等があるが，その年の収入が少ない人

③ サラリーマンのように所得税が給料から天引きされている人で次の要件のいずれかに該当する人

(イ) その年に盗難や災害の被害を受けた人

(ロ) その年に国や都道府県や市町村，学校に寄附をした人

(ハ) その年に多額（10万円を超える額）の医療費を支払った人

(ニ) その年にローンで家を購入した人

(ホ) 年末に結婚や子供が生まれた人

(ヘ) 年末調整により会社から求められた提出書類を出していない人

(ト) 年金を受けている人

(チ) 年の途中で退職して，年末までに再就職していない人

(リ) 退職金を受けて，退職の申告をしていない人

2．提出期間

還付申告書を提出できる期間は，翌年1月1日から5年以内となります。

ただし，申告書を提出した後に計算誤りなどにより申告税額が過大であったため還付を受ける手続きは，「更正の請求」に該当します。その期間も当初申告の法定申告期限から5年以内です。

第5節　死亡の場合の申告（準確定申告）

通常の確定申告と死亡の場合の確定申告

	提　出　者	申　告　期　限	提　出　先
通常	本　人	翌年2月16日〜3月15日	原則，提出時の提出者の住所地の所轄税務署長
死亡	相続人（連名申告）	相続開始を知った日の翌日から4か月以内	原則，被相続人の死亡時の住所地の所轄税務署長

死亡者についての提出すべき確定申告書

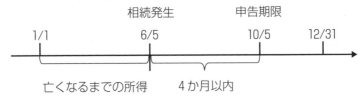

1．死亡の場合の申告書提出者

　確定所得申告をしなければならない人が確定申告書を提出しないまま死亡した場合でも，確定申告書を提出しなければなりません。この申告のことは準確定申告と呼ばれ，確定申告書は相続人の連名により提出しなければなりません。

2．申　告　期　限

　原則として，相続開始を知った日の翌日から4か月以内に確定申告をしなければなりません。

　ただし，還付等を受けるための申告書については，相続開始を知った日の翌日から5年間が申告書の提出できる期間となります。

3. 提 出 先

　申告書は亡くなった方についての申告書ですから，提出先は，死亡したときの死亡者の納税地（住所地）を所轄する税務署長となります。

第6節　総収入金額報告書

　確定申告をしなくてもよい人であっても，その年の不動産所得，事業所得，山林所得にかかわる収入金額の合計額が3,000万円を超える場合には，総収入金額報告書を翌年3月15日までに提出しなければなりません。

　なお，確定申告（確定所得申告，確定損失申告，還付等を受けるための申告のいずれか）をした人は，総収入金額報告書の提出は必要ありません。

総収入金額報告書を提出しなければならない者

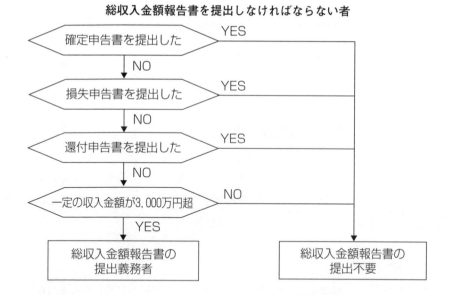

（注）　一定の収入金額とは，不動産所得・事業所得・山林所得に係る収入金額の合計額をいいます。

第 7 節　財産債務調書

　確定申告書を提出しなければならない人で，「その年分の所得金額の合計額が2,000万円超」，かつ，「その年の12月31日の財産の合計額が 3 億円以上またはその年の12月31日の有価証券等の合計額が 1 億円以上」の人は，確定申告の際，財産の種類，数量および価額ならびに債務の金額等を記載した財産債務調書を提出しなければなりません。財産債務調書の提出の有無等により，所得税または相続税に係る過少申告加算税等が加減算されるという特例措置も設けられています。

　ただし，国外財産調書に記載した国外財産については，財産債務調書への内容の記載は必要ありません。

　国外財産調書とは，国外財産の種類，数量および価額等を記載した調書で，その年の12月31日において5,000万円を超える国外財産を所有している人は，翌年 3 月15日までに税務署長に提出しなければなりません。この国外財産調書は，確定申告書を提出する必要がない人，財産債務調書を提出する必要がない人も提出しなければならず，提出しない場合には一定の罰則規定が設けられています。

　なお，令和 2 年分以後，相続開始年の12月31日の財産債務調書・国外財産調書については，相続により取得した財産を記載しないで提出することができます。

　また，令和 4 年度税制改正において，財産債務調書の提出義務者の見直しと財産債務調書・国外財産調書の提出期限の見直しが行われました。令和 5 年分以後，「その年の12月31日の財産の合計額が10億円以上」の場合には，確定申告書を提出する必要がない人であっても財産債務調書の提出が必要となりました。また，提出期限は，令和 5 年分以後の財産債務調書および国外財産調書の両方について，翌年 6 月30日（改正前 3 月15日）に改正されました。

第8節　納　　付

　所得税の確定申告書で計算した税額は，申告期限と同様に，翌年2月16日から3月15日までの間に納付する必要があります。

　また，亡くなった方の確定申告のことを準確定申告といいますが，この場合の相続人が納付する必要のある税額は，相続の開始があったことを知った日（つまり，亡くなったことを知った日）の翌日から4か月以内に納付する必要があります。

　なお，期限後申告・修正申告により納付することとなる税額は，その期限後申告書・修正申告書の提出の日が納付期限となります。

　税金は納付期限までに納付しないと，納付日までの延滞税が課されます。

申告の区分と納付期限

区　　　分	納　付　期　限
通常の確定申告（期限内）	翌年の2月16日〜3月15日
死亡による確定申告	亡くなったことを知った日の翌日から4か月以内
出国による確定申告	出国の時まで
期限後申告・修正申告	期限後申告書・修正申告書の提出の日

　納付方法として，以下のものがあります。

1．窓口納付

　窓口納付は金融機関か税務署の窓口で納付書に現金を添えて支払います。

　金融機関の窓口で納付する場合には，事前に納付書を用意してください。

　なお，納付金額が30万円以下の場合，スマートフォンや自宅等のパソコンなどでQRコードを作成する方法により，納付受託者（コンビニエンス・ストア）の窓口でも納付することができます。

2．振替納税（口座引落し）

振替納税は指定した口座から自動的に引き落とされます。

納付期限は4月の中旬となっていますので，窓口納付より納税資金を調達するのに1か月程の猶予があります。非常に便利な納付方法です。

振替納税をするためには，3月15日までに振替納税をするための依頼書を税務署に提出する必要があります。申告書と一緒に依頼書も提出するとよいでしょう。

なお，万が一，口座の残高が不足しており引き落とせない場合には，延滞税を支払わなくてはなりません。そのため，引落しの前には口座の残高が納税額に足りているかどうかの確認をするようにしましょう。

3．電子納税 (e-Tax)

事前に税務署に届出をしておくことにより，金融機関のインターネットバンキング等から納付することができます。

また，電子申告をした場合には，届出をした預貯金口座から，振替納付（ダイレクト納付）をすることもできます。

4．クレジットカード納付

決済手数料がかかりますが，インターネット上でのクレジットカードによる納付もできます。

5．スマートフォンアプリ納付（Pay払い）

納付金額が30万円以下の場合，スマホアプリ決済を利用して納付ができることとなりました（令和4年12月より）。

第9節　延納制度

1．延納制度とは

　延納制度とは，本来確定申告により確定した税額は，その年の翌年2月16日から3月15日までに納付することが原則とされていますが，納税者の税負担能力や，納税の便宜を考慮して一定の要件を満たした場合に5月31日までの期間その納付を延長してもらえる制度です。

延納制度の図解

今年度納付すべき所得税額		
第1期 納付分 （予定納税）	第2期 納付分 （予定納税）	**第3期 納付分**

3月15日までに	①　第3期納付分のうち2分の1以上を納付している。 ②　延納の届出書を提出している。

5月31日までに	3月15日までに納付した分を差し引いた残額の納付を，5月31日までとすることができる。

2．延納の要件

　延納を受けるためには，次の要件をともに満たす必要があります。

①　確定申告による納付すべき税額（第3期分）の2分の1以上を納付期限（3月15日）までに納付していること。

②　その納付期限までに納税地の所轄税務署長に，延納の届出（申告書に必要事項を記入）をしていること。

3．利子税について

　延納が認められた税額については，納付日までの利息に相当する利子税を支払う必要があります。

　なお，利子税の割合は，「各年の前々年の 9 月～前年の 8 月までの各月の短期貸出約定平均金利の平均値＋0.5％（令和 2 年12月31日までは各年の前々年の10月～前年の 9 月までの各月の短期貸出約定平均金利の平均値＋ 1 ％）」または年7.3％のいずれか低い方を採用することができます。

第10節　予 定 納 税

　所得税額は本来，その年の翌年 2 月16日から 3 月15日（第 3 期という）に納めることを原則としていますが，

　　①　ある程度の税額が発生する個人に対して納税時期を分散することによる納税負担の緩和

　　②　国にとっての歳入の確保・平準化

などを目的として所得税額の前払いをする制度が設けられています。これを予定納税制度といいます。

1．予定納税しなければならない人

　前年の経常的な所得（譲渡所得や退職所得のような非経常的なものを除く）をベースに一定の計算をした予想税額（「予定納税基準額」という）が15万円以上の人が対象となります。

2．予定納税の納期と納税額

　予定納税は， 2 回（第 1 期・第 2 期）に分けて，予定納税基準額の 3 分の 1 ずつ納税します。納税額は税務署から通知されます。

　なお，予定納税した税額は 1 年分の税額の前払い的な性質をもつため確定申告時に精算されます。

（注） 令和6年分の所得税については，定額減税が実施されるため，第1期分の予定納税から本人分に係る特別控除の額（3万円）が控除されます。

		納　　期	納税額
予定納税基準額 （A）	第1期	7月1日～7月31日	$\dfrac{(A)}{3}$
	第2期	11月1日～11月30日	$\dfrac{(A)}{3}$

予定納税イメージ図

（注） 令和6年分の所得税については，第1期分の納期が9月30日まで延長されます。

『第8章』

源泉徴収と年末調整

第1節　源泉徴収

　源泉徴収制度とは，給料や報酬などの支払者（「源泉徴収義務者」という）が，その支払いの際，所定の所得税（平成25年分から令和19年分までの25年間は復興特別所得税を含む）を徴収（「源泉徴収」という）し，これを法定納期限までに国に納める制度をいいます。

　つまり，給料や報酬などの支払いを受ける者から見れば，その支払いを受ける際にあらかじめ所得税が源泉徴収されることで所得税を前払いしていることになります。

　居住者に係る上記源泉徴収の対象となる所得には，主に次のようなものがあります。

① 利子・配当所得

② 給与所得

③ 退職所得

④ 公的年金等

⑤ 報酬・料金等

ここでは，①，②および⑤について説明します。

1. 利子・配当所得に対する源泉徴収

　利子・配当等の支払いを受ける者がその支払いを受ける際に徴収された源泉

徴収税額は，あくまでも所得税の前払いにすぎないため，原則として確定申告によって精算されます。

ただし，貯蓄の奨励などの理由から，次のように源泉徴収だけで課税を完結させ，確定申告時にはこれらの所得を除外する制度（源泉分離課税制度，申告不要制度）が設けられています。

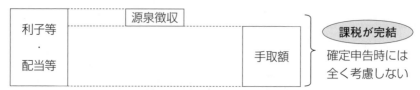

2．給与所得に対する源泉徴収

給与所得の源泉徴収制度は，納税者および国の事務手続きの負担を軽減するために設けられています。

具体的には，超過累進税率を基にした別表を用いて給与等の支払者に正確な源泉徴収税額を徴収させ，年末調整により税額の精算を行わせることにより，確定申告を省略できる制度です。

図にすると次のとおりです。

令和6年分の定額減税は減税の早期実現の要請もあり，給与所得者については，給与所得の源泉徴収制度を利用して実施されます。令和6年6月1日（基準日）以後最初に支払われる給与等の源泉徴収税額から定額減税額を控除します。上記基準日に在籍していなかった者や，配偶者・扶養親族の異動により定額減税額に変動が生じた者については年末調整で精算を行います。

3．報酬・料金等に対する源泉徴収

原稿料，講演料，弁護士等への業務報酬など一定の報酬・料金等の支払いに

ついて，当該報酬・料金等の支払者は，その支払いの際に所得税を徴収する義務があります。源泉徴収義務の要否を判断できるように源泉徴収義務のある報酬・料金等の支払いを法令で限定列挙しています。

4．源泉徴収税額の納付および納付期限

　事業者が源泉徴収する税額は所得税法の規定により，一定の金額が定められています。源泉徴収した税額は，原則として源泉徴収をした日の翌月10日までに国に納付しなければなりません。

　ただし，給与等，退職手当金等（弁護士等への報酬・料金，非居住者へ支払った給与等・退職手当金等を含む）に対する源泉徴収については，従業員が少ない場合（給与等の支払いを受ける者が常時10人未満である場合に限る）には，税務署長の承認を受けることにより，源泉徴収した税額の納付を毎月ではなく，年2回とすることができます（下図「納期の特例」）。

第2節　年末調整

1．給与所得者の年末調整

　給与等の支払者（会社または事業主）は，給与等の支払いのつど定められた金額を源泉徴収し，年末にその給与所得者の給与所得に対するその年の所得税額を計算し，源泉徴収税額の年間合計額との差額を精算（年末調整）して納税を完了させることとされています。

　したがって，年末調整を受けた給与所得者は，原則として年末調整によりその年の所得税額が確定し，納税も完了するため，確定申告をする必要はありま

せん。

　ただし，その年の給与等の金額が2,000万円を超える場合には，年末調整は行いませんので，確定申告をしなければなりません。

┌─**＜注意点＞**─────────────────────────────┐

　年末調整において，雑損控除，医療費控除，寄附金控除の３つの所得控除は適用できません。したがって，これら３つの所得控除を受ける場合には，給与等の金額が2,000万円以下の給与所得者であっても，確定申告をすることになります。また，住宅借入金等特別税額控除の適用を受けようとする最初の年も確定申告をしなければなりません。

└──────────────────────────────────────┘

2．給与所得者の源泉徴収に関する申告

　給与所得者は，年末調整の際に所得控除および住宅借入金等特別税額控除の適用を受ける場合には，次のそれぞれの申告書を給与等の支払者に提出しなければなりません。

　また，基礎控除については画一的に金額が定められているため，申告書を提出する必要はありません。

(1)　給与所得者の扶養控除等 (異動) 申告書

　給与所得者が，源泉徴収の際に，障害者控除，寡婦 (寡夫) 控除，勤労学生控除，配偶者控除および扶養控除の適用を受けるために，給与等の支払者に提出する書類をいいます。

(2)　給与所得者の配偶者控除等申告書

　給与所得者が，年末調整の際に配偶者控除や配偶者特別控除の適用を受けるために，給与等の支払者に提出する書類をいいます。

(3)　給与所得者の保険料控除申告書

　給与所得者が，年末調整の際に社会保険料控除，小規模企業共済等掛金控除，生命保険料控除，地震保険料控除の適用を受けるために，給与等の支払者に提出する書類をいいます（給与等から控除される社会保険料および小規模企業共済

等掛金については，給与等の支払者がその控除された金額を把握しているため，申告書を提出する必要はない）。

(4)　所得金額調整控除申告書

給与所得者が，年末調整の際に所得金額調整控除の適用を受けるために給与等の支払者に提出する書類をいいます。

(5)　給与所得者の住宅借入金等を有する場合の所得税額の特別控除申告書

給与所得者が，年末調整の際に住宅借入金等特別税額控除の適用を受けるために給与等の支払者に提出する書類をいいます。

なお，住宅借入金等特別税額控除の適用を受ける最初の年分は確定申告書を提出しなければなりませんが，その後の年分については，この申告書を提出することによって，年末調整の際に住宅借入金等特別税額控除の適用を受けることができます。

(6)　提出期限

(1)の提出期限は「毎年最初に給与等の支払いを受ける日の前日」，(2)(3)(4)(5)の提出期限は「その年最後に給与等の支払いを受ける日の前日」となります。

『第9章』

青 色 申 告

第1節　青色申告の要件

不動産所得(事業的規模でなくてもよい)，事業所得または山林所得を生ずる業務を行う人が，青色申告の承認申請をして承認を受けた場合には，青色申告書を提出することができます。

なお，青色申告を選択すると税務上各種の特典があります。

1．青色申告の要件

青色申告書を提出するためには，以下の要件を満たさなければなりません。

①　一定の帳簿書類を備え付けて取引を記録し，かつ，保存すること

②　税務署長に青色申告の承認の申請書を提出して，あらかじめ承認を受けること

(注)　届出書と申請書

届出書……その書類を提出さえすれば効力が発生する書類

申請書……相手に対して何かをお願いするための書類で，その相手の承認によって効力が発生するもの

2．青色申告の申請の却下

次のような場合には，青色申告の申請は却下されます。

①　帳簿書類の備付け，記録または保存が適正に行われていない場合

204

② 取引を隠ぺいし，または偽装して帳簿書類に記載している場合

③ 青色申告の承認の取消しの通知を受け，または青色申告の取りやめの届
　出書を提出した日以後1年以内に青色申告の承認の申請書を提出した場合

青色申告の承認の申請から承認・却下までの流れは，次のとおりです。

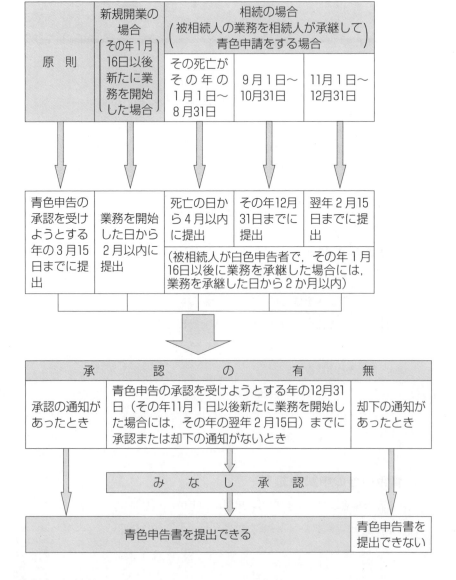

原　則	新規開業の場合〔その年1月16日以後新たに業務を開始した場合〕	相続の場合（被相続人の業務を相続人が承継して青色申請をする場合）		
		その死亡がその年の1月1日～8月31日	9月1日～10月31日	11月1日～12月31日

青色申告の承認を受けようとする年の3月15日までに提出	業務を開始した日から2月以内に提出	死亡の日から4月以内に提出	その年12月31日までに提出	翌年2月15日までに提出
		（被相続人が白色申告者で，その年1月16日以後に業務を承継した場合には，業務を承継した日から2か月以内）		

承　認　の　有　無		
承認の通知があったとき	青色申告の承認を受けようとする年の12月31日（その年11月1日以後新たに業務を開始した場合には，その年の翌年2月15日）までに承認または却下の通知がないとき	却下の通知があったとき

みなし承認

青色申告書を提出できる	青色申告書を提出できない

第2節　青色申告者の帳簿書類の備付けおよび保存

　所得税法では，青色申告者とそれ以外の者（白色申告者）とを明確に区別し青色申告者については正確な帳簿書類の作成を要求する代わりに，税額を計算するうえで，さまざまな特典を認めています。これに対して，白色申告者については，帳簿書類の正確性や信頼性が低いことから，税額を計算するうえでの特典は認められていません。

　しかし，納税環境を整備するため，白色申告者に対しても一定の記帳義務制度の規定が設けられています。

　青色申告者と白色申告者の記帳義務・帳簿書類の保存を比較すると，次の図のようになります。

青色申告者と白色申告者の記帳義務の比較

	青色申告者		白色申告者
	原則（複式簿記）	特例（簡易簿記）	
帳簿書類	仕　訳　帳 総勘定元帳 補　助　簿	現金出納帳 売　掛　帳 買　掛　帳 経　費　帳 固定資産台帳等	売　上　帳 仕　入　帳 経 費 帳 等
記録方法	正規の簿記の原則に従い一切の取引を詳細に記載	簡易な記録の方法（資産・負債の一部科目を省略）	総収入金額および必要経費に関する事項を記録
添付書類	貸借対照表 損益計算書 明 細 書 等	損益計算書 明 細 書 等	収支内訳書

青色申告者と白色申告者の帳簿書類の保存の比較

	青色申告者	白色申告者
帳　簿 決算関係書類	7年	法定帳簿 ……7年
現金預金取引等 関係書類	7年 ――――――― 前々年分の所得 が300万円以下 の者は5年	任意帳簿 ……5年
その他の書類	5年	書類 ……5年

第3節　白色申告者の帳簿書類の備付けおよび保存

　不動産所得，事業所得または山林所得を生ずべき業務を行う白色申告者は，帳簿書類を備え付けてこれにこれらの所得に係るその年の総収入金額および必要経費に関する事項を記録し，かつ，当該帳簿を保存しなければなりません。

　(注)　平成25年12月31日以前は白色申告者の帳簿書類の備付けおよび保存義務は前々年あるいは前年分の事業所得等の合計額が300万円超の方に限定されていましたが，平成26年1月1日以降は事業所得，不動産所得または山林所得を生ずべき業務を行うすべての方が対象となります（所得税および復興特別所得税の申告がない方も，記帳および帳簿等の保存は必要）。

　帳簿書類の記載方法については，青色申告者と異なり簡易な方法による記帳が認められています。

　帳簿および書類の保存期間は，下記のとおりです。

【帳簿・書類の保存期間】

保存が必要なもの		保存期間
帳　簿	収入金額や必要経費を記載した帳簿（法定帳簿）	7年
	業務に関して作成した上記以外の帳簿（任意帳簿）	5年
書　類	決算に関して作成した棚卸表その他の書類	5年
	業務に関して作成し，または受領した請求書，納品書，送り状，領収書などの書類	

第4節　青色申告の特典

　青色申告の特典には，次のようなものがあります。ここでは青色申告と白色申告を比較して説明します。

1．専従者給与

青 ……専従者に支払った給与のうち，適正と認められる金額を，全額必要経費に算入することができます。

白 ……一定の金額（最高50万円（配偶者は86万円））しか必要経費として控除することができません。

2．純損失の繰越控除

青 ……純損失の金額を翌年以後3年間繰り越すことができます。

白 ……純損失の金額のうち，変動所得の損失または被災事業用資産の損失に係るものしか3年間の繰越しはできません。

3．純損失の繰戻し還付

青 ……純損失の金額を前年に繰り戻して，所得税の還付を受けることができます。

208

[白] ……適用がありません。

4．小規模事業者の現金基準

[青] ……前々年分の不動産所得の金額および事業所得の金額（青色専従者給与を必要経費に算入する前の金額）の合計額が300万円以下の者は，現金主義によって所得を計算することができます。

[白] ……適用がありません。

5．青色申告特別控除

[青] ……青色申告者は，所得を計算する上で10万円の控除をすることができます。青色申告者のうち不動産所得または事業所得を生ずる事業（事業的規模であることが必要）を営む者が帳簿書類にこれらの事業に係る一切の取引を詳細に記録している場合には55万円（令和元年分までは65万円。令和2年分以後は55万円へ縮小）を控除することができます。ただし，下記のいずれかに該当する場合には，青色申告特別控除額は65万円になります。

① その年分の事業に係る仕訳帳および総勘定元帳について，電子帳簿保存を行っていること。

② その年分の所得税の確定申告書および青色申告決算書の提出を，確定申告期限までにe-Taxを使用して行うこと。

[白] ……適用がありません。

6．少額減価償却資産の特例

[青] ……取得価額が30万円未満の少額減価償却資産は，業務の用に供した年に，全額必要経費に算入することができます（年間で300万円が限度となる）。

[白] ……取得価額が10万円未満のものに限られます。

7. 貸倒引当金

青 ‥‥個別評価，一括評価による貸倒引当金の計上が認められます。

白 ‥‥個別評価による貸倒引当金の計上のみ認められます。

8. 更正の制限

青 ‥‥帳簿調査に基づかない更正を受けることがありません。

白 ‥‥帳簿調査に基づかない更正を受けることがあります。

9. 不服の申立て

青 ‥‥更正があった場合に，異議申立てか直接審査請求かを選択することができます。

白 ‥‥異議申立てを経なければ，審査請求をすることができません。

＜監修者紹介＞

税理士法人　山田＆パートナーズ

〈国内拠点〉

【東 京 本 部】〒100-0005　東京都千代田区丸の内 1 - 8 - 1 　丸の内トラストタワー N館
　　　　　　　　　　　　　　8 階　TEL：03-6212-1660

【札幌事務所】〒060-0001　北海道札幌市中央区北一条西 4 - 2 - 2 　札幌ノースプラザ 8 階

【盛岡事務所】〒020-0045　岩手県盛岡市盛岡駅西通 2 - 9 - 1 　マリオス19階

【仙台事務所】〒980-0021　宮城県仙台市青葉区中央 1 - 2 - 3 　仙台マークワン11階

【北関東事務所】〒330-0854　埼玉県さいたま市大宮区桜木町 1 - 7 - 5 　ソニックシティ
　　　　　　　　　　　　　　ビル15階

【横浜事務所】〒220-0004　神奈川県横浜市西区北幸 1 - 4 - 1 　横浜天理ビル 4 階

【新潟事務所】〒951-8068　新潟県新潟市中央区上大川前通七番町1230 - 7 　ストークビ
　　　　　　　　　　　　　　ル鏡橋10階

【金沢事務所】〒920-0856　石川県金沢市昭和町16- 1 　ヴィサージュ 9 階

【長野事務所】〒380-0823　長野県長野市南千歳 1 -12- 7 　新正和ビル 3 階

【静岡事務所】〒420-0853　静岡県静岡市葵区追手町 1 - 6 　日本生命静岡ビル 5 階

【名古屋事務所】〒450-6641　愛知県名古屋市中村区名駅 1 - 1 - 3 　JR ゲートタワー41階

【京都事務所】〒600-8009　京都府京都市下京区四条通室町東入函谷鉾町101番地　アーバ
　　　　　　　　　　　　　　ンネット四条烏丸ビル 5 階

【大阪事務所】〒541-0044　大阪府大阪市中央区伏見町 4 - 1 - 1 　明治安田生命大阪御堂
　　　　　　　　　　　　　　筋ビル12階

【神戸事務所】〒650-0001　兵庫県神戸市中央区加納町 4 - 2 - 1 　神戸三宮阪急ビル14階

【広島事務所】〒732-0057　広島県広島市東区二葉の里 3 - 5 - 7 　　グラノード広島 6 階

【高松事務所】〒760-0025　香川県高松市古新町 3 - 1 　東明ビル 6 階

【松山事務所】〒790-0003　愛媛県松山市三番町 4 - 9 - 6 　NBF 松山日銀前ビル 8 階

【福岡事務所】〒812-0011　福岡県福岡市博多区博多駅前 1 -13- 1 　　九勧承天寺通りビル
　　　　　　　　　　　　　　5 階

【南九州事務所】〒860-0047　熊本県熊本市西区春日 3 -15-60 　JR 熊本白川ビル 5 階

【鹿児島事務所】〒892-0847　鹿児島県鹿児島市西千石町11- 21 　鹿児島 MS ビル 5 階

〈海外拠点〉

【シンガポール】1 Scotts Road #21 - 09 Shaw Centre Singapore 228208

【中国（上海）】上海市静安区南京西路1515号　静安嘉里中心 1 座12階1206室

【ベトナム（ハノイ）】26th floor West Tower, Lotte Center Hanoi, 54 Lieu Giai, Cong Vi,
　　　　　　　　　　Ba Dinh, Hanoi, Vietnam

【ベトナム（ホーチミン）】 19th floor, Sun Wah Tower, 115 Nguyen Hue, Ben Nghe, Quan 1, Ho Chi Minh, Vietnam
【アメリカ（ロサンゼルス）】1411 W. 190th Street, Suite 370, Gardena, CA 90248 USA
【アメリカ（ホノルル）】 1441 Kapiolani Blvd., Suite 910, Honolulu, HI 96814 USA
【台湾（台北）】105001　台湾市松山區復興北路369號６樓之７　※アライアンス事務所

〈沿　革〉
1981年４月　公認会計士・税理士　山田淳一郎事務所設立
1995年６月　公認会計士・税理士　山田淳一郎事務所を名称変更して山田＆パートナーズ会計事務所となる。
2002年４月　山田＆パートナーズ会計事務所を組織変更して税理士法人山田＆パートナーズとなる。
2005年１月　名古屋事務所開設
2007年１月　関西（現大阪）事務所開設
2010年12月　福岡事務所開設
2012年６月　東北（現仙台）事務所開設
2012年11月　札幌事務所開設
2014年１月　京都事務所開設
2014年11月　金沢事務所・静岡事務所・広島事務所開設
2015年11月　神戸事務所開設
2016年７月　横浜事務所開設
2016年10月　北関東事務所開設
2017年７月　盛岡事務所開設
2017年11月　新潟事務所開設
2018年４月　高松事務所開設
2019年７月　松山事務所開設
2020年７月　南九州事務所開設
2022年１月　長野事務所開設
2023年７月　鹿児島事務所開設

〈業務概要〉
　法人対応，資産税対応で幅広いコンサルティングメニューを揃え，大型・複雑案件に多くの実績がある。法人対応では企業経営・財務戦略の提案に限らず，Ｍ＆Ａや企業組織再編アドバイザリーに強みを発揮する。また，個人の相続や事業承継対応も主軸業務の一つ，相続税申告やその関連業務など一手に請け負う。このほか医療機関向けコンサルティング，国際税務コンサルティング，新公益法人制度サポート業務にも専担部署が対応する。

＜編著者紹介＞

山口　暁弘（やまぐち　あけひろ）

税理士法人山田＆パートナーズ　パートナー　税理士
昭和40年4月23日生まれ，東京都出身
日本大学卒業

　主な著書：『自社株評価のポイントと改正点』（税務経理協会），
　　『逐条解説　組織再編税制の実務』（中央経済社），『小規模宅地等
　　の評価減の実務』（中央経済社），『Q＆Aで学ぶ連結納税ガイド』
　　（税務研究会），『新版　成功企業の税務・財務戦略』（財経詳報社）

＜執筆者一覧＞（50音順）

浅野　亮（税理士），岩谷晴美（税理士），大澤朱乃，長田晶子
（税理士），勝野春香（税理士），上條ふみか，河村美佳（税理
士），黒瀬絵美（税理士），小鹿由加里（税理士），篠﨑憲子（税
理士），清三津裕三（税理士），白樫良浩（税理士），外山浩章，
中谷悟（税理士），錦織博司（税理士），福原充宏，松田夢斗
（税理士），山口暁弘（税理士），山口謙太郎（税理士）

図解　所得税法「超」入門
〔令和6年度改正〕

2024年8月10日　初版発行

監 修 者	税理士法人山田&パートナーズ
編 著 者	山口暁弘
発 行 者	大坪克行
発 行 所	株式会社税務経理協会
	〒161-0033東京都新宿区下落合1丁目1番3号
	http://www.zeikei.co.jp
	03-6304-0505
印 刷	株式会社　技秀堂
製 本	株式会社　技秀堂
デザイン	原宗男(カバー)

 本書についての
ご意見・ご感想はコチラ

http://www.zeikei.co.jp/contact/

ISBN 978-4-419-07224-7　C3032

© 山口暁弘 2024 Printed in Japan